金平茂紀　大矢英代
KANEHIRA SHIGENORI　OYA HANAYO

「新しい戦前」のなかでどう正気を保つか

かもがわ出版

まえがき

〈大矢 英代〉

その電話は、いつも突然かかってくる。取材現場に駆けつけるタクシーの中でも、ニュースのオンエア前の編集中も、県警幹部の自宅前で張り込みをしている時にも、昼夜を問わず私のポケットの中でスマホは鳴った。電話の相手がだれかは発信者名を見なくてもわかる。電話がくるのは、沖縄で米軍がらみの事件事故が起きたり、オスプレイが墜落したり、あるいは辺野古新基地建設をめぐり沖縄県と政府との司法対立が激化したりと、沖縄が大きく揺れ動き、報道部が騒然としている時だからだ。

「大矢さんですか。わたくし金平と申しますが……」

電話の向こうから、金平茂紀さんの特徴ある声が聞こえる。まるで初対面の人に電話を掛ける時のように、丁寧に名前を名乗るのが常だった。

「また沖縄が大変なことになっているでしょ。現場はどうですか？ 僕も今から、そちらに駆けつけますから」

そう言い終えたかと思うと、数時間後には、那覇市久茂地《くもじ》にあるTBS系列のテレビ局・RBC（琉球放送）のエレベーターホールに、ほんとうに金平さんの姿があったので度肝を抜かれた。しかも、一度や二度ではない。知事会見や辺野古のゲート前など、金平さんは神出鬼没だった。「もしかしたらテレポーテーションができる超能力者なのかもしれない」と、私は半ば冗談、半ば本気で思っていた。

マスメディアでは、東京から地方へ単発で取材にやってくる記者たちは「パラシュート記者」と呼ばれる。大きなニュースが起きた時だけ沖縄にやってきて、日帰りあるいは一泊二日で、自分たちがほしい「ネタ」だけを中央目線で拾い集めて、中央目線の薄っぺらいニュースを書き、全国の読者に届けたあと、あっという間に沖縄を去っていくパラシュート記者たちは、地元の記者たちから白い目で見られていた。閣僚が沖縄にやってくるたびに、コバンザメのようについてまわる彼らの姿は、滑稽でもあった。

金平さんは、そんなパラシュート記者とは一線を画す。沖縄の人々の声を直接聞くこと、沖縄の現場に立つことにこだわり続けた、私が知る限り唯一のキー局在籍のジャーナリストだった。

金平さんと私の出会いがいつだったのか、曖昧な記憶を辿れば、2012年にさかのぼる。当時の私は、RBCと同じビルにあるテレビ朝日系列の地元局・QAB（琉球朝日放送）に入社したばかりの報道記者だった。ある晩、QABの先輩でアナウンサーの三上智恵さん（のちに映画『沖縄スパイ戦史』（2018年）を共同監督することになる）から「はなのためになるから絶対会ったほうがいい」と紹介していただいたのが、金平さんとのご縁の始まりだった（少なくとも、そう記憶している）。

初めて会った時、金平さんは憤慨していた。日本政府は沖縄県民を蹂躙《じゅうりん》している、こんなことが許されていいはずがない、と。

2012年というのは、沖縄にとって激動の一年だった。沖縄の本土復帰から40年の節目の年。変わらぬ基地の島の現実に憤る県民に追い討ちをかけるように、米軍オスプレイの配備が強行された。「絶対に配備はさせない」と普天間基地ゲート前に座り込んだ住民たちを、警察が強制排除をしたのも、この年の9月だ。沖縄北部の小さな村・高江では、米軍ヘリパッドの建設工事が地元住民の反対をねじ伏せるかたちで押し切られた。

沖縄の人たちの声を踏み潰しながら強行される「国策」の現場。そこから見える日本の姿を伝えながら、これは狂気の沙汰だと、記者一年目の私はマグマのような怒りを募らせていた。

そんな私にとって、TBSという全国ネットの看板番組のキャスターでありながら、沖縄の現場にこだわり、不条理に怒り、沖縄の人々の声を聞き、徹底的に事実を積み上げながら、日本政府の化けの皮を剥がすようなニュースを伝える金平さんの存在は、支えだった。尊敬と憧れの対象であり、同志であり、低迷するこの国のメディアの希望だと感じていた。

やがて、金平さんとは頻繁に電話で情報共有をするようになった。金平さんが沖縄に来た時には、仕事終わりにQAB近くの川沿いのいつもの店で、琉球新報や沖縄タイムスの記者たちも交え、沖縄とこの国の未来を語り合った。

「最近、TBS局内で「沖縄の特集をやろう」っていうと、「金平さん、また沖縄ですか」って言われるんだよ。ひどいよね、沖縄の話をすると人がサーッと引いていくんだから」

金平さんがそんなことを口にするようになったのは、私がQABを去る直前の2017年頃だった。記者5年目になった私も、テレビ報道の限界を感じ、日本のジャーナリズムに希望を失いかけ、取材拠点をアメリカに移そうと考え始めていた。

「それでも絶対に沖縄を伝え続けなきゃならないから、やれることをやる」という金平さんに、私はずっと聞きたかったことを尋ねた。

「金平さんって、どうしてそんなに頑張れるんですか?」

金平さんは声を出して笑って、こう言った。

「僕には失うものがないからさ」

金平さん、でも金平さんにはどうしても「失いたくないもの」があるから、逆境の中でも頑張れるんですよね。金平さんにとって「失いたくないもの」って、何ですか。

あの時、そう聞きたかったのに、なぜか聞けないまま歳月だけが過ぎた。
あれから5年がたった今年、金平さんとこの本を出版することになり、二度の対談を行った。一度目はオンラインで、東京と私が現在暮らすアメリカとを繋いで、日米のメディアの現在と将来について語った。二度目は、6月、沖縄・慰霊の日から一夜明けた那覇市内で、久しぶりに対面でお会いして、沖縄から見た日本と世界について語った。日本のジャーナリズムがどこへ向かうのか。この国が、どんな危険な方向へと進もうとしているのか。「新しい戦前」と呼ばれる時代に生きる私たちが、どう冷静さを保ちながら生きていくのか。計5時間を超えて議論した。その対談の記録が、本書である。

本書の中には、私がずっと金平さんに聞いてみたかった金平さんの「失いたくないもの」の答えが詰まっている。不思議なことに、それは私が「失いたくないもの」とぴたりと一致していた。一言で言うならば、日本という国の――それを形成する、私を含む日本人の、人間としての――「正気」なのだと思う。

いま、日本社会全体が凄まじい勢いで正気を失い欠けている。中国脅威を理由に「抑止力のためには軍事増強も当然だ」と、沖縄への自衛隊ミサイル配備を進め、過去最大級に軍事予算を増やし、「叩かれる前に叩けるようにしよう」などと敵基地攻撃能力を認めた日本政府。それを支えている日本国民。「中国なんて対話できる相手じゃないんだから」などという差別的な発想や、敵対的で戦々恐々とした雰囲気がたれ込める日本社会になった。ガスが充満した密室で、ライターの火をつければ大爆発が起きるように、今の日本は、ほんの少しの刺激で一気に戦争へと転がり落ちていくように思えてならない。

かつて、侵略戦争に狂喜乱舞し、一億揃ってアジア太平洋戦争という破滅への道を突き進んだ日本国民。あの時、正気を失った日本人の姿を、私たちはいま、この２０２３年という時代に投影している。それは「新しい戦前」というよりも、もはや「戦争前夜」である。

私たちは、日本人として、人間として、「正気」を保っていたい。そのためには何をするべきか。この本を通じて、読者の皆さんと対話したい。一緒に考えていきたい。この戦争前夜に夜明けがやってくる前に、皆さんと一緒に時計の針を止めるために。

（２０２３年9月11日　アメリカ同時多発テロから22年の日に、カリフォルニア州フレズノにて）

「新しい戦前」のなかでどう正気を保つか　もくじ

まえがき……003

第Ⅰ部　日米のメディアの現在と将来　013

◆安倍元首相殺害事件、岸田首相襲撃事件の意味するもの……015
◆2022年が「新しい戦前」の分岐点となった……024
◆日米のジャーナリズムとアメリカという国……029
◆沖縄から見えた日米のメディア状況……039
◆私が八重山毎日新聞に行き、琉球朝日放送に入ったわけ……052
◆日本のメディアの今と将来を考える……064
◆ジャーナリストとして生き、市民に返せることとは……076

第Ⅱ部　沖縄から見た日本と世界、そしてジャーナリズム　083

◆沖縄の現状にアメリカの学生は何を感じたのか……085
◆戦争に一番近い島々と全戦没者追悼式の違和感……090
◆前線基地化する南西諸島の実態と受け止め方……095
◆ダニエル・エルズバーグさんと西山太吉さん……103
◆G7広島サミットの意味すること……112
◆自治・分権の不在、そして自由の後退……128
◆変容するジャーナリズムは誰のためのものなのか……135
◆私たちがこの本で伝えたいこと……153
あとがき……161

第Ⅰ部　日米のメディアの現在と将来

（第1回　2023・4・16、ニューヨークと東京をオンラインで結んで）

金平　今日は久しぶりに大矢さんとお話しするんですが、よろしくお願いします。大矢さんがニューヨークに行かれたのはいつでしたっけ。

大矢　去年（2022年）の8月ですね。

金平　シラキュース大学ですよね。アメリカでいうと、どういうタイトルなんですか。

大矢　テニュア・トラックのアシスタント・プロフェッサーです。テニュアとはアカデミアの終身雇用制度で、採用から5年後に審査を受けて合格すれば終身雇用になれるというものです。

たしか金平さんと最後にお会いしたのは私が拙著・ルポ『沖縄「戦争マラリア」――強制疎開死

大矢英代（撮影：稲吉洋子）

金平茂紀

3600人の真相に迫る』(あけび書房)を出版した2020年2月でしたね。那覇市で開いた出版記念パーティーに東京から駆けつけてくださり、とても嬉しかったです。今日はいろいろとお話しできるのを楽しみにしています。

金平 日本とアメリカにいるジャーナリスト同士の対談ということですが、まず日本でのことからお話ししましょうか。

◆安倍元首相殺害事件、岸田首相襲撃事件の意味するもの

金平 というのは、昨日(2023年4月15日)、ちょっと大きな出来事がありました。ご存じでしょうが、岸田文雄首相が選挙演説中に、若い男が筒状の爆発物を投げて爆発させたんです。岸田さんは避難して、実害はありませんでしたが、大騒ぎになりました。もし演説中に爆発が起きていたら、9カ月前の安倍晋三元首相殺害事件の再来になりかねなかったわけで、大変なことでした。首相級を狙った政治テロは、戦前にはもちろんありましたが、戦後は安倍氏の事

件をのぞいてはありませんでしたから。

僕が知り得た情報で言うと、岸田首相は、和歌山県の衆議院補欠選挙の応援に訪れていて、雑賀崎漁港で選挙運動の一環として魚の試食パフォーマンスをやっていて、70人ぐらい聴衆がいたらしいんです。その中から一人の男が、リュックから筒状のものを取り出して投げ、それが爆発したと。それがどういうものかまだわかっていませんが、鉄パイプ爆弾じゃないかと報道されています。SPが反応して、その男は捕らえられ、免許証から兵庫県川西市在住の24歳の男性だということでした。男性は、去年9月に自民党系の市議会議員の市政報告会に参加して質問したりしていたそうです。その意味で、安倍元首相を襲った山上徹也被告のような感じではないようですね。弁護士が来るまで黙秘すると言っているそうですから、そのうち真相が明らかになるでしょう。

この事件で気持ちが悪いのは、戦前には政治テロが繰り返された歴史がありましたが、それが今の日本で再来しそうな気配がするからです。民主主義が機能しなくなると、直接行動によるテロが頻発することになりかねません。選挙や言論活動を通じて政治を変えようとするのではなく、直接行動によって自分の意思を示そうとする。そうした環境は、民主主義のありようとしては不健康だし危険ですよね。そういう状況が今、日本において起きてきているのではないかと僕は考えています。つまり、自分と意見の異なる存在は「消せ」と。

いろんなことを言う人がいますが、「新しい戦前」という言葉がキーワードの一つになっているんです。

大矢 「新しい戦前」ですか……。

金平 タモリという人がいるじゃないですか。去年（2022年）暮れの日本のテレビ番組で、黒柳徹子さんがタモリに「来年はどういう年になるでしょうか」と聞いたら、「いや、新しい戦前になるのではないですか」といったことをすらりと答えていました。これは、何気なく言ったように聞こえますが、タモリという人はやっぱり時代のことをとてもよく見ている人だなと感じましたね。今起きていることは「新しい戦前」みたいなことになっていて、有無を言わせないというか、民主主義の機能不全が表に出てきていると実感することが多いんですね。

大矢 安倍晋三元首相の銃撃殺害事件によって、何か歯止めが外れてしまったという感じが私もしています。アメリカでは、2001年9月11日に起きた同時多発テロ事件を契機として対テロ戦争の機運が高まり、イラク・アフガニスタン戦争に突入するなど、「ショック・ドクトリン」とも言われる政策が次々に取られていきました。それと似たようなことが今、日本で起きているんですよね。

金平　大矢さんもよくご存じの、カナダのナオミ・クラインが言った「ショック・ドクトリン」ですね。惨事便乗型資本主義とも翻訳されていますが、戦争やテロ、大災害とか大地震などで人々が茫然自失に陥っている間に、普段できなかったことを火事場泥棒的にエイヤッとやってしまおうという手法です。そう考えた時に、この考え方の枠組みは今の日本そのものを表しているんではないか、つまりウクライナ侵略戦争と安倍元首相銃撃殺害事件によって「戦争のできる国」に一気にしてしまおうというのが今起きていることだと思うんですよ。

安倍元首相は閣議決定で、集団的自衛権の行使容認を強行しましたが、彼が亡くなった前後に菅義偉元首相・岸田文雄首相のもとで、安倍元首相が将来構想として言っていたようなことが、どんどん現実化しています。安保三文書改定による防衛政策の大転換、敵基地攻撃能力を含む防衛

ロシア軍のミサイル攻撃で破壊されたキーウ郊外のホテル
（撮影：金平茂紀、2022年7月）

費の際限のない増大など、憲法9条を骨抜きにしようとしています。一部の野党もそちらの方向にむしろ積極的に行きつつあり、憲法をよってたかってなぶり殺そうとしているように見えます。沖縄問題は後でも触れることになるでしょうが、沖縄の南西諸島の前線基地化もしかりです。それらは、安倍晋三という人の一種の神聖化現象とも表裏一体のものです。彼が暗殺というような形で亡くなったことによって、かえって力を得て、それこそショック・ドクトリンで彼が言ったことを全部継承していくというのが、今日の政権のやっていることの本質だと思います。

そういう下で、国家がある種、有無を言わせないで無理強いするようなことが、いくつも起きています。原発政策の大転換もその一つです。最長60年とされている原子炉の稼働期間を延長できるようにする法案を閣議決定しましたし、「想定していない」としてきた原発の新設や増設、建て替えを認める見解を示しました。

それ以外にも、マイナンバーカード所持の強制が当たり前になっています。これは昔は国民総背番号制といっていましたが、それを健康保険証とか運転免許証と紐付けしてしまおうという、個人情報漏洩のリスク問題などどこ吹く風で、国が無理やりやらせるという方向に行っています。インボイス制度の導入というのもそうです。適格請求書でないような支払いは認めませんといって、民衆の商いを国が全面的に管理するようになっています。さらに改正入管法や

LGBTQ理解増進法も強行されようとしています。
日本学術会議（以下、学術会議）に対する人事介入もありました。学術会議が推薦した候補者6人を菅首相（当時）が任命しなかったわけですが、学術会議は学者の独立した学術研究機関で、国家から予算が出ているんですが、アカデミー（学術機関）ですよね。アカデミーと国家との関係は国によって違いますが、学術会議は戦前の学者の国との関わり方に対する反省からできたわけです。戦前の国家は美濃部達吉のような学者を含めて、その時々の国策に沿わない学者は全てパージしていった。その自治的な権限をもった学者の研究機関に対し、国が委員を選考する第三者委員会を作ってそこを人事に関与させようという、まさに戦前への逆戻りですよ。改正案の今国会への提案を見送りにさせたことは一定程度の良識の勝利ですが、予断を許さない状況に変わりはありません。

大矢　そうですね。あと教育もしかりで、愛国教育と歴史修正主義が復活してきました。例えば、三上智恵さんと私が作ったドキュメンタリー映画『沖縄スパイ戦史』は、陸軍中野学校でスパイのエリート教育を受けた工作員たちによる終わりなき沖縄戦の実態を描いたものですが、その作戦に動員されたのが10代半ばの沖縄の少年たちでした。沖縄戦は、単なる日本とアメリカの軍人同士の殺し合いではありませんでした。10代の少年を含む民間人が戦争に駆り出され、日本軍にとって都合が悪くなった住民は真っ先に犠牲にされ、本来ならば第一に守られるべき住民の命よりも軍の作戦ばかりが優先され、その中で住民同士も互いに疑心暗鬼になり地域レベルでスパイ狩りが広がっていった、そういう酷い戦場が沖縄戦でした。しかし、そのような歴史はまだまだ十分に学ばれていません。それどころか、最近の教科書からは、「集団自決（強制集団死）」について日本軍から住民への軍命などの関与があったことを示す記述が、次々と削られています。権力者からしたら、歴史を知らない国民ほど都合がいいことはありません。だからこそ教科書が狙われ、歴史が塗り替えられていくわけです。

金平　腹に据えかねているのは、被爆都市広島の平和教育の教材から、中沢啓治の漫画『はだしのゲン』が削除されたことです。また、第五福竜丸の記述もカットされました。代わりに登場したのが、日米の和解を強調するストーリーやオバマ大統領の広島訪問なんです。僕たちは、今年（2023年）5月17日、G7広島サミットの前前日に「はだしのゲン」講談を神田香織さんに演じていただき、引き続いてその後にシンポジウムを開く準備をしているんですが、大変なんだ、これがまた（笑）。G7広島サミットを成功させて、広島県選出の岸田首相を盛り上げていこうじゃないかみたいな動きが、地元財界や一部のメディアを中心に進められており、僕たちがやろうとしていることはいわば「非国民」扱いのような感じにさえ受け止められかねません。現実的にはそういう状況なんですよ。

大矢　去年の平和記念式典でも、ロシア大使を呼びませんでしたね。これには驚きました。

金平　ロシアがウクライナでやっているのは明らかな侵略行為ですが、でも平和記念式典に花を手向けることさえ絶対にさせないというのは、明確な意思表示ですね。今の日本は「気分はもう戦争」というモードですよ。

戦前の行き着く先ということでは、大政翼賛会の次に来たのは、労働組合が解散され大日本産業報国会ができ、大日本婦人会や日本文学報国会も設立され、隣組といったご近所にまで国家統制がおりてきました。思想統制も進められて、極端な国家主義に従わない者は「非国民」として扱われ、社会主義者や自由主義者に至るまで「赤狩り」が行われて、あらゆる少数派の声が弾圧されました。また日本共産党員などは摘発され、なかには小林多喜二のように獄中で拷問され死に至る者まで出ました。その繋がりでいうと、この間試写で見た森達也監督の『福田村事件』という映画があるんですが、これは関東大震災から100年の今年9月1日に公開されます。福田村事件というのは、関東大震災の直後に起きた朝鮮人・中国人らへの虐殺事件のひとつのケースです。朝鮮人と間違われた被差別部落出身の薬売りの行商集団が、千葉県の福田村というところで自警団によって撲殺された史実を扱った映画なんですよ。

しかし、私たち日本人は、自らが起こしたそういう「負の歴史」に対してなかなか正面から向き合おうとしていません。毎年9月1日に行われる朝鮮人ら虐殺犠牲者追悼式典に対して、今年も小池百合子東京都知事はメッセージを送らないでしょう。元徴用工訴訟問題をめぐっても、韓国の尹錫悦（ユン・ソンニョル）大統領と岸田首相との首脳会談で、日本企業の賠償支払いを韓国の財団が肩代わりするという方向で両国政府が大筋合意しましたが、問題の本質的な解決とはほど遠いもので、将来に禍根を残しました。そういう意味でも、時代が戦前的な方向に向かって突き進んでいることは間違いないと思います。

大矢　この間（2023年4月）、統一地方選挙がありましたが、そういうことを言っている与党が伸びましたよね。本当の意味での反対政党といえる野党がいない、という状態に近くなっています。

金平　野党は分裂状態で、健全な批判勢力としてもはや存続しえないような状況というのが現実です。今選挙をやると野党第一党になるのはおそらく日本維新の会ですよ。維新という勢力は、私の個人的な見方ですが、ヨーロッパ流の政治思想の考え方でいうと、むしろ極右政党に近い存在であり、日本の核武装も認めている人たちです。現憲法もちろん変えてしまう方向に行くでしょうし、それが野党の第一党になるとなれば、日本の社会は限りなく大政翼賛会に近い総与党化状態になり、少数派の声はより一層抹殺されるでしょう。ですから、今の日本の政治は大政翼賛会的状況に向かっていると言っても過言ではありませんね。これも「新しい戦前」の一面ですよね。

◆2022年が「新しい戦前」の分岐点となった

金平　この間、戦後民主主義を代表するような方が何人かお亡くなりになりました。そこには元毎日新聞記者でジャーナリストの西山太吉さんとか、思想史家であり評論家の渡辺京二さんなども入れておきたいんですが、僕が同世代として多少交流があった人でいうと、まず坂本龍一さんですね。世界的に活動し高い知名度を持つ天才的な音楽家で、ニューヨークにお住まいでしたが、今年（2023年）の3月28日に東京で亡くなられました。この人がいない日本は本当に寂しい。また、戦後日本の文学界のど真ん中におられた人が大江健三郎さんです。戦後民主主義の価値を体現してきた人で、加藤周一さんとか澤地久枝さんらと「九条の会」を立ち上げ、憲法の存在が危機に瀕するなかで亡くなられました。それから、もしかすると、ちょっと異色に思われるかもしれませんが鈴木邦男さんです。戦後の価値観でいえば反米右翼の「一水会」を立ち上げた右の人ですが、既成の親米右翼とは袂を分かち、言論・表現の自由は大事だ、憲法を守れと言い続けていました。これらの人が最近相次いで去って行ったことは本当に寂しく悲しいことですが、戦後的な価値を体現していた人が去っていったことは、これからお話をする「新しい戦前」の登場とシンクロしますね。

去年(2022年)は「新しい戦前」に至る大分岐点だと思うのですよ。後世の歴史家が恐らく、「この年が変わり目だったですね」と言うんじゃないかと思います。それは、国内的にも国外的にも大きい二つの出来事があったからです。

大矢　2月24日に始まったウクライナ戦争がその一つですね。

金平　はい。ウクライナにロシアが侵攻し、今もその戦争が続いていて、停戦とか休戦の目処は一向に見えていません。これは戦後の国際政治の秩序に対する大転換を示すような出来事です。今国際社会がこの戦争に対してどう対応するかということで言うと、僕の整理の仕方では

「正義論対平和論」です。「正義論」というのは、この侵略戦争は国際法にも反したとんでもない出来事であり、正義を回復するためには、戦争も辞さない、戦争を貫いて勝利し、邪悪なロシア軍を撤退させなければならない、というものです。それが国際社会のかなりの多数派です。もちろんそうじゃない国々もあり、中国やインド、「グローバルサウス」と呼ばれる国々の一部、アフリカ諸国の一部などがそうです。ただ欧米諸国の大部分や日本などは、正義論の立場に立っていて、武器も供与するし、国際社会が連帯してウクライナを支援しウクライナを勝たせなければいけないということになっています。

一方の「平和論」ですが、戦争というものは究極のところ「敵を殺せ」というのが原理であって、それをこのまま是認していていいのかという立場です。戦争が長引けば長引くほどウクライナの人もロシア兵も死んでいく、これ以上殺戮が続くのはよくない、武力によってでなく、外交的な手段によって、一刻も早く停戦、休戦を実現させなければいけない、と。これは「平和論」あるいは「和

国境から国外に脱出するウクライナの人々
（撮影：金平茂紀、2022年２月）

平論」と言ってもいいんですが、その糸口が全然見えていません。本来は国連がそういう機能を果たすべきなんですが、国連の常任理事国のロシアが侵略の当事者なので、機能不全になっていることは誰が見てもわかります。戦争が長引けば長引くほど、僕はアメリカのベトナム戦争のように、長期化・泥沼化するおそれが強いと思うんです。ベトナム戦争では、アメリカは名誉ある撤退とか言っていますが、６００万人以上の人が死んだわけで、その教訓は生かされていません。それが今起きているウクライナ戦争という大きな一つのかたまりですよね。

もう一つが、国内的には、先ほど述べたとおり、去年（２０２２年）７月８日に起きた「７・８事件」、つまり安倍元首相が銃撃されて殺害された事件ですよ。あれによって、比喩的な意味で言っているんじゃなくて、実態的な意味で、「パンドラの箱が開いた」と思っているんですよ。これは暴力的なテロを肯定するという意味では全くなくて、本来この事件がなければ表に出てくることがなかったようなことが一気に出てきてしまった、という意味です。

ウクライナ南西部チェルニウツィーで地下シェルターに避難した人々　（撮影：金平茂紀、2022 年 2 月）

旧統一教会と戦後の保守政治の構造的癒着が白日の下にさらされ、日本の国内政治の主要な方向づけが、統一教会の影響を受けてかなりねじ曲げられていたわけです。ジェンダー平等とか、家族観のあり方など、欧米先進国で進んでいる方向にブレーキがかけられ、スパイ防止法や道徳教育の義務化、学術会議の自由なあり方にも影響があった。それによって、保守陣営や戦後の与党の、戦前的な価値への回帰が明らかになりました。

また、安倍晋三という人物がこういう形で亡くなったことによって神格化され、神聖不可侵なようになってしまい、彼の功罪をきちんと検証する作業ができなくなってしまいました。国葬についてはかなりの国民が反対しましたが、結局遂行されました。その結果、安倍元首相が生前に言っていた施策やポリシーが、岸田首相の代になって有無を言わせずに実行されていきます。

さっき申し上げたとおり、戦後的価値感を象徴していたような人がどんどん退場していっています。そういう意味で、2022年が分岐点となって、日本は「新しい戦前」の時代に突入してしまったのではないかというのが、大きな枠組みとして言えるんではないかと思うんですが、これについて大矢さんはどうお考えですか。

大矢　私も金平さんが今おっしゃったことには全く同感で、ここ数年の間、かなりの勢いで「戦争ができる国」づくりが加速してきているのを感じています。安倍晋三元首相の銃撃殺害事件によって、その最後の歯止めが外れてしまった。死後、彼が聖人化・神格化されたことによって、「安倍元首相の遺志を受け継ぐ」という気持ちの悪い雰囲気が日本国内に充満して、敵基地攻撃能力の保有や沖縄への自衛隊ミサイル配備など、これまで自民党がやりたかったことが、一気にできてしまったという感があるんですよね。２０２２年がそのターニングポイントになったというのは、私も全く同感です。

◆日米のジャーナリズムとアメリカという国

大矢　最近、アメリカにいて変化を感じるのは、日本政府が保有を認めた敵基地攻撃能力や南西諸島への自衛隊ミサイル配備、国防費の増大に関するニュースを、特に昨年末から日常的に見聞きするようになったことです。昨年12月16日に、岸田首相が、今年度以降5年間の防衛費の総額を過去最大の増額となる43兆円程度にすることを閣議決定したあたりからですね。

金平　アメリカでもそういうことが報道されているんですか？

大矢　もう日常的に聞きますね。自宅でも職場でもしょっちゅうラジオニュースを聴いているんですが、「ジャパン」というキーワードが出てきた時に、何かなと思って注意して聴いてみると、大体このことなんですよね。日本の防衛力が拡大しているが、それは対中国の政策のためには重要であるし、アメリカにとっては利益である、というような報道が日常的に流れています。

＊米タイム誌（電子版）の2023年5月9日版が、「日本の選択」と称し、「岸田氏は数十年にわたる平和主義を放棄し、日本を真の軍事大国にしたいと望んでいる」と報じました。これに対して日本の外務省が抗議するなど、話題を醸しました。

金平　岸田首相の先ほどの事件（爆発物投てき事件）は、アメリカでも結構大々的に報道されたと聞きましたけど。それは安倍さんの事件があったから、尚更という感じなんですか？

大矢　そうだと思いますね。私もアメリカの英語のニュースで知りましたから。

金平　ぜひお聞きしたかったことなんですが、安倍さんのアサシネーション、暗殺について、アメリカのメディアはどのように取り上げたんでしょうか？

大矢　安倍晋三という人が、どういう人間であり、どういう政治家だったのかということを、アメリカのメディアはほとんどわかってないなというのが私の印象なんですね。一国の首相が暗殺されたことは民主主義に対する挑戦だ、というようなアメリカ的スタンスでの報道がほとんどでした。在任期間が通算8年8カ月と歴代最長だったことやアベノミクスなどが、「功績」として強調されました。安倍政権の時代に、特定秘密保護法や、集団的自衛権の行使容認閣議決定、共謀罪（テロ等準備罪）など「戦争ができる国づくり」のための法律や枠組みが次々と生み出されたなかで、どれだけの人々の声がつぶされ、沖縄の基地建設現場でどれだけの人が苦しんできたのか、どれだけジャーナリズムや民主主義が衰退していったのかということも、アメリカ市民には伝わっていません。安倍政権が生み出した「功罪」の「罪」の部分について、メディアはほとんど触れないんです。もちろん、森友・加計学園、桜を見る会の一連の問題が未解決であることもほとんど伝えられていませんでした。それは、わからないから報じないのか、あるいはわかった上で、アメリカ的な民主主義への挑戦といったナラティブに変えているのか、それはわかりませんが。結局、聖人化というところは、アメリカのメディアでも際立っていましたね。

金平　大矢さんは、今はニューヨークですが、その前はカリフォルニアのバークレイにおられて、アメリカ生活はどれくらいになるんですか？

大矢　今年で5年ですね。

金平　僕は特派員としてそちらに5年3カ月いました。政治都市ワシントンに行って、それから商業・文化都市ニューヨークに移りました。そこはとっても人工的な国際都市ですから、よく人から「ニューヨークはアメリカとは別世界だ」と言われましたが、それでもアメリカ人の共有する価値観をどれだけ反映しているかをうかがい知ることができました。そこで暮らした実感からいうと、日本がアメリカを評価するのと、アメリカが日本を評価するのは、非対称でしたね。アメリカから見た日本は、極東のよく働く国だが、アメリカの言うことに逆らうなんてことは絶対ないどうでもいい国だ、ということです。はっきり言って、普通のアメリカ人の日本に対する関心はそんな程度ですね。

もちろん、ソフトパワーについては、日本的な文化などについてのステレオタイプな理解の仕方はいまだに残っています。さっき言った坂本龍一さんなどはアメリカでも大きな功績がありますが、日本のミュージシャンでここまでアメリカ人が知っている人ってなかなか少ないですよね。ただ、普通の日本の政治家がどういう政治をしており、日本の戦後の歴史の中でどういう役割を果たし、功罪両方の側面を持っているかについては、ほとんどの人は興味はありませんね。

例えば安倍晋三という人物についていえば、テレビ映りのよいテレジェニックな人で、出たがりだしメディアをうまく使っているみたいなイメージですね。トランプとどこか共通している。しかし、メディアをコントロールしようという意思はすごく強かったという側面を、アメリカ人がどこまで理解していたのかというのは、甚だ疑問ですね。日本には安倍という長い期間政権を維持してきたスーパースターみたいな人間がいたから、アメリカに比べるといいんじゃないか。アメリカ大統領の任期は4年ですから2期連続でやったとしても8年しかできませんが、安倍という人は7年8カ月、第一次安倍政権を含めるとすごい長期間政権を維持していたわけです。アメリカ人にとってみると、中身はともかく、すごい奴だったんじゃないの、といった理解だと思っているんですけどね。ただ安倍事件の報道では、民主主義への挑戦みたいなことは言うわけですよね。昨日の岸田首相事件の報道を見ても、テロは許せない、言論を通じて意思表示をするのが民主主義のルールだ、そういう基本的な論調というのはあるわけです。

大矢　そうですね。安倍元首相が殺害された直後の政府側の言葉選びも、言論の弾圧は許さないとか、民主主義が危機に遭っているとか、アメリカ受けしやすい切り口で報じていたなという印象が強いですね。岸田首相は「決して暴力に屈しないという断固たる決意で参院選を続ける」「国民もこの国の民主主義を守るために努力してほしい」などと記者会見で語りました。そういうパッケージで作られた安倍元首相の死というのが、アメリカ人のジャーナリストたちからも本質的なところが全く語られないまま、日本の民主主義が危機的な状況にあるというような切り口でしか報じられませんでした。

アメリカの日本に関する報道には、もうひとつ大きな問題があります。日本の今の政治がなぜこんな状況になっているのかを理解する上で、もう一方の当事者であるアメリカの存在が、ほとんど論じられていないことです。本来であれば、なぜ日本がこれだけ防衛予算を拡大するのか、憲法をないがしろにしながら民主主義を破壊していくような国になっているのか、そこにアメリカがどれだけ関わっているのか、アメリカ国民にどれだけ責任があるのかをアメリカのジャーナリストたちが語らなければいけないのに、そこは全く抜け落ちています。

結論から言いますと、私がアメリカで大学教員になろうと思ったのは、そこが大きなきっかけだったんですよね。何とかして、アメリカ人に当事者意識を持ってもらいたいというところで、ジャーナリズム教育をアメリカでやろうというところに行き着いたんです。私のジャーナリストとしての原点は沖縄です。沖縄の現場を取材し、戦争体験者をはじめたくさんの人たちの声を聞き、思いを受け取ってきた者として、ジャーナリストを目指すアメリカの若者たちを育てていく責任があると思ったんです。

けれども、これが一筋縄ではいかないんですね。教員を1年やってみて、アメリカ人の世界を見る視点というのはなかなか変えられないという印象です。金平さんはアメリカに詳しい方なので共感してくださると思いますが。

金平　アメリカは世界の中心にいると思っているんですから。これは度し難いとさえ言えますが、アメリカ的な民主主義の理念は世界の中で輝いていて、それを教えてあげるんだみたいな感覚ですね。

例えば、中東政策ですよ。アメリカは9・11同時多発テロ事件のあとにイラクやアフガニスタンに戦争をしかけたでしょう。あれは本質的には報復ですよ。やられたらやり返せ、みたいな論理で始めた戦争です。だってイラクに大量破壊兵器なんか何もなかったんですから。あの時にコンドリーザ・ライスという当時の国家安全保障問題担当大統領補佐官が、大統領のジョージ・W・ブッシュに対して、「アメリカの民主主義を中東の世界に植え付けるにはどうしたらいいか」といった言い方をしましたよね。彼らは野蛮な国であり、民主主義を持ったことのない劣った国なんだから、アメリカ式の民主主義を植え付けてあげましょう、ということでしょ。そういう考え方が当たり前のように日常会話で語られているというのが、アメリカのトップの政治家ですよ。僕はアメリカ的民主主義の限界とか、それを世界に押し付けようということに対しての自己反省があってしかるべきだと思いますがね。アメリカの一極支配を維持し続けるだけの力がもうなくなっています。アメリカ的な価値観が世界の唯一の正解みたいな形で君臨すること自体が不自然なわけです。

大矢　今の世界は、アメリカの一極支配を超えて、多極化の方向に進んでいますものね。

金平　中東社会も一枚岩ではなくなり、インド、ロシア、中国といった非アメリカ的な価値観を持っている国も、グローバルな資本主義の波のなかでみると、多少の価値観の違いはあっても同じ方向に向かっていると思います。アメリカの一極支配が壊れていることは間違いないのに、日本はNATO事務所を招き入れようとして、ひたすらアメリカの価値観と同じような方向に突き進もうとしているわけですから。

もちろん、アメリカの知識人の中にもスーザン・ソンタグとか、『オリエンタリズム』のエドワード・サイードとか、ノーム・チョムスキーといった人たちもいましたし、今もいる。アメリカの今のあり方が絶対的な正義ではないし、間違いも犯してきたという歴史を踏まえた上で、自分たちの外交なり内政なりを運営していくべきだという、ある種の警告を発している人たちがいることも事実です。しかし、今のアメリカは特にそうですが、アメリカ的な価値観に対して微塵も疑いを持たないことこそ正義であり、強靭なことであり、そこに異議を唱えるなんて冗談じゃないみたいな傾向が強いですね。トランプ前大統領などのものの言い方を見ていると、「アメリカ・ファースト」ですから。アメリカ第一主義で何が悪いんだ、といったことをあんなに声高に下品に語られるようになったのは、アメリカの民主主義のありようからいうと、後退している局面だと僕は思いますよ。

今、大矢さんが言われたように、いろいろな国で起きている悲劇だったり、あるいは手を差し伸べられなければいけないことについて、アメリカ人自身が当事者である、あるいは加害者であり共犯者である、という意識がほとんどないということについては、ある意味驚くほかありませんね。

大矢　本当に……。それは日常生活の中でも悲しいぐらい実感しています。

金平　先ほど、サイードとかソンタグ、チョムスキーといった人たちのことを紹介しましたが、彼らが言っていた視点は、アメリカの中ではなかなか多数派にはなり得ないと僕は思っているんです。ただ、ベトナム戦争当時、「ペンタゴン・ペーパーズ」の大事件がありましたよね。執筆者の一人であるダニエル・エルズバーグらが国家機密文書を暴いて、「ベトナムがこんな状態になっていることはお前たち自身が知っているのに、なんで国民を騙すんだ」とニューヨーク・タイムズに文書を持ち込み、その内容をスッパ抜きました。あの人ももう90いくつになりますが、彼の根源的な核心部分にある「知識人としての良心」が、民主主義と言ってもアメリカも間違うこともあるんだから、それを直していかなければいけないみたいなことをちゃんと言わせたわけです。そういう人がいた時代もあったことを忘れてはいけないと思いますね。

米政府機密文書「ペンタゴン・ペーパーズ」を暴露したD・エルズバーグさんとパトリシア夫人
（エルズバーグ氏のHPより）

◆沖縄から見えた日米のメディア状況

大矢 そのことに関して、2018年に私がアメリカに渡ったきっかけをお話ししますね。

私は大学院卒業後の2012年から5年間、沖縄でQAB（琉球朝日放送）の記者をやっていて、基地問題や米軍がらみの事件事故などを追っていました。当時の私は、沖縄から基地問題をしっかり日本全国に伝えていけば、世の中が良くなると思っていたんですよね。より多くの人たちがちゃんと選挙に行ってくれるし、戦争ができる国づくりを進める自民党政権もいずれ崩れるだろうし、辺野古基地建設は止まるだろうと考えていました。沖縄でいい取材をする、良質な番組を沖縄から全国に届ける、ということが私にとっての希望だったんです。

でも、取材をすればするほど、致命的な問題にぶつかりました。沖縄に基地問題の当事者がいないことです。その当事者というのは、先ほども言いましたように、アメリカの存在なんです。霞が関だけでなく、アメリカのワシントンD.C.といった沖縄から遠く離れたところで、ポリシーメーカー、政治家たちが決定した軍事政策が、沖縄に降りかかってきた結果が沖縄の基地問題であるし、だから現場の人は苦しんでいるのだと気づかされました。もちろん、問題の一番の責任者・当事者は、対米追従主義の日本政府であり、それを支える政治家に投票し続ける日本国民です。ただ、海の向こうで、アメリカの世界戦略を生み出している政治家たちに一票を投じているアメリカ国民が、この島で起きている状況を全く知らないというのは、あまりにアンフェアだと思いました。アメリカ国民が沖縄のことを理解しようとしない限り、本質的な問題は変わらないな、と思い至ったんですよね。

2016年に『テロリストは僕だった〜沖縄・基地建設反対に立ち上がった元米兵たち〜』というドキュメンタリー番組を作ったことが、アメリカに行こうと決めた直接的なきっかけだったんです。翌年、QABを辞めるか辞めないか悩んでいて、金平さんに電話をしたのも覚えています。「大矢さんが辞めたら、沖縄の報道はかなり厳しくなるなぁ」とおっしゃってくれたのを覚えています。それで、退社後にフリーランスになって、東京で金平さんにお会いした時に、「来年、アメリカに行きたいんです」という話をしました。金平さんが笑いながら「いやー大変だよ！アメリカは」とおっしゃったことをはっきり覚えています。

実際にこちらに来てみて、金平さんがおっしゃった「大変」というのは、こういうことかなとわかってきました。この国の人たちが、問題の当事者であることに全く気づかないまま米軍を賛美している。米軍は世界に民主主義を広めている、アメリカは正義だ、と国民全体が妄信している。これは個人の問題というよりも、プロパガンダといいますか、完全に国策の問題ですよね。世界中に独裁国家や悪い集団がいる、それをアメリカ型の正義、アメリカ型の民主主義に変えていくことが大事なんだという宣伝に、国民はまんまと騙されていて、その背後で起きている問題に全く気づかない。沖縄の基地問題の現状とか、日本の民主主義が衰退してきている状況に、全く問題意識を持てないということなんです。それには愕然としましたよね。

金平　今の話でいうと、アメリカは、例えていうと、理念ででき上がった国でしょ。ヨーロッパで食いっぱぐれて、イギリス、ドイツ、フランスなどからアメリカ大陸に渡った人たちが、自由・平等・幸福追求権といった理念で作り上げた国ですよね。大きな理念のもとに、そこにいたネイティブ・アメリカンを追い出し、殺戮などがあって黒人らを奴隷として使役した上で、でき上がったのがアメリカという国の歴史です。ですから、その建国の理念を否定するようなことを彼らに求めるというのは、まだ無理なのかもしれません。その人たちが自信たっぷりに、民主主義をちゃんと機能させて、アメリカ的な正義、アメリカ的なシステムが世界に通用するのは当たり前なんだと思い込んでしまっているのは、ある意味当然かもしれません。それでも、さっき言った少数の知識人たちが、それは違うと発言していることは傾聴に値します。

大矢　確かにそうですね。

金平　それが今、世界の中で大勢の抗う人が出てきた場合、どういう扱いを受けるんだろうか、といったことを僕はここのところずっと考えているんですよ。それはこの間、大矢さんもご存じの、いわゆる沖縄返還密約事件の西山太吉さんという人が亡くなったからです。

元毎日新聞の西山さんは、政治部の辣腕優秀な記者で、大平正芳元首相に可愛がられて、自民党の主流派を担当した記者だったんです。それが沖縄の返還に関する密約の公電をアンオフィシャルな方法によって入手し、それを元に記事を書いたんです。そこでは「密約」という言葉は使っていませんでしたが、アメリカとの沖縄返還の交渉にあたって、日本政府が裏で何かコソコソやっているといった内容でした。その極秘公電文書のコピーが当時の横路孝弘さんという社会党代議士の元に、さまざまな思惑があったのでしょうが、持ち込まれて、その極秘公電の決済欄のサインの追跡でリーク先がどこかがわかってしまいます。国民の前に明らかにすべき密約を時の権力批判記事に使ったことが権力の怒りを買い、西山記者の取材活動が男女関係を利用した不貞行為とされ、司法とメディアによって社会的に放擲《ほうてき》されます。それが後日、20年以上も経過してから、アメリカの国立公文書館文書や、元外務省アメリカ局長だった吉野文六さんらの証言によって、いわば「冤罪」であることが証明されたんです。

西山さんはその取材源を守るということでいうと、記者として過ちを犯したことは間違いありません。彼はそのことで個人的に制裁を受け、一定の名誉回復はなされたものの、記者としての生命は絶たれてしまいました。そして大事なことは、そのニュースソースになった人はいまだにひどい苦しみを受けたまま、名誉回復もされていないことです。そういうことを考えた時に、日本の民主主義とか健全なジャーナリズムはやはりまだまだ発展途上の未熟な状況にあるんだ、ということを思い知ったわけです。それは、彼が亡くなった時に、悄然とさせられるような記事が出たからです。それは平たい言葉で言うと「密約というのは統治の知恵だ、ある意味仕方がないんだ」という論理に基づいた記事です。

大矢　誰がそんなこと言っていたんですか？

金平　それを西山さんの出身母体の毎日新聞の人物が書いていたわけです。密約は統治の知恵か国民に対する国家犯罪かというと、両方の考え方があって、密約＝国家犯罪＝絶対悪という立場に立てば西山はヒーローだけれど、密約＝統治の知恵ということでいえば、西山を評価できない、一面的な（密約）糾弾は疑問である、と。僕は、そもそも密約は国民を騙しているのに何が統治の知恵だよ、とびっくりしました。こんなものが今になって出るというんだったら、西山さんとは取材を通じてお会いしましたが、死んでも死にきれなかったと思います。

彼は自分の犯したプライベートな過ちについては十分に制裁を受けたと思う。しかし、密約の存在によって、沖縄返還交渉において、日本が当事者であるアメリカとの間で国民に表に出せないようなことをコソコソやって、「核抜き本土並み」みたいなバラ色の夢を振りまいて、返還協定を結んでしまったわけじゃないですか。実際に、米軍基地の自由使用とか、有事の際の出撃基地化とか、核兵器の再持ち込みとか、原状回復費の日本の肩代わりといった4つの密約はあったわけでしょ。嘘が原点にあるから、沖縄の返還後も基地はほとんど減らないし、思いやり予算で米軍基地のプライベートな部分まで全部日本人の税金で賄うといったことになったんじゃないですか。なんでそのことをちゃんと、今に至るまで見つめ直さないんだということですよ。この報道ぶりを見て、僕は日本のジャーナリズムの一隅にいる人間として、泣きたいほどひどいなと思いましたけどね。

大矢　QAB（琉球朝日放送）の私の先輩ディレクターだった土江真樹子さんという方は、金平さんもお知り合いだと思いますが、『メディアの敗北～沖縄返還を巡る密約と12日間の闘い～』（2003年）という西山太吉さんのドキュメンタリーを作られました。その番組を見て土江さんがすごいなと思うのは、あの問題の本質をズバリと突いていることです。ジャーナリズムの使命、つまり私たちジャーナリストが本来何をなすべきなのかという本質的なところが、不倫事件といった問題にすり替えられて、それにメディアが乗っかり、メディア全体がジャーナリズムの衰退に加担してしまった。そんなメディアの罪をしっかりと突いていらっしゃいます。あのドキュメンタリーは改めて国民が見るべきだと私は思いますが、番組にずばり「メディアの敗北」というタイトルを付けた土江さんはすごいと思うんです。

私たちの対談は、2022年が新しいターニングポイントだという問題意識から始まったわけですが、小さな分岐点はこれまでたくさんあったわけですよね。それは西山さんの時もそうですが、さかのぼれば、1960年に当時の岸信介内閣により日米安保条約が改定され、日米行政協定から日米地位協定に引き継がれた時もそうでした。もっとさかのぼれば、1951年のサンフランシスコ講和条約の署名時に、独立と引き換えに米軍を日本全土に配備するという交渉をしてしまったことです。この時、地位協定の前身となる日米行政協定も結ばれました。日本は形だけの独立国になり、事実上、アメリカの傀儡政権になってしまったとさえいえます。戦後日本の民主主義の始まりが1945年だとしたら、私たちの民主主義と主権は、戦後6年目からもうすでに折れ始めていたのではないか、ということをすごく考えさせられるんです。

もちろんその後、安保闘争、学生運動、反核運動など、市民の運動は全国各地で広がり、草の根で民主主義を守り続けた人たちがいます。沖縄でも基地建設を食い止めてきた歴史があります。「鋭角な闘い方ではすぐに折れてしまうから、沖縄の基地闘争は鈍角にやるんだ」と、辺野古の基地建設現場に座り込む市民から聞いた言葉が忘れられません。民主主義は一朝一夕にはなしえない、ということです。

一方で、市民が立ち上がってきた歴史を、私たち若い世代の日本人は、ほとんど習ってきていません。私は、カリフォルニア大学バークレー校に研究員として3年近くいましたが、バークレーという街は、金平さんもご存じのように、アメリカの民主主義の土台の土地なんですよね。言論の自由の出発点であり、学生運動やベトナム反戦運動も活発でした。

金平　1960年代のカリフォルニア大学バークレー校のフリースピーチ運動とかね。あれは公民権運動全体に影響を及ぼした初期の画期的な例でした。

大矢　そうですね。カリフォルニア大学のバークレー校には「フリースピーチ・ムーブメント・カフェ」という学生食堂があって、壁全面に当時の新聞が貼られていて、机などにもその当時の学生運動の一日一日の動きを伝えるような記事が貼ってあるんです。学生たちにとって、言論の自由を守ってきた先輩たちの闘争の歴史というのは、自分たちの誇りでもあるんですよね。

でも、日本の学生運動の歴史は、私たちに引き継がれていなくて、むしろ「恥ずかしい歴史」みたいな形でしか見られていないじゃないですか。だから、学生や市民が立ち上がったあの歴史を私たちの世代が受け継いでおらず、むしろ何か負の歴史として葬り去ってきていること自体が、日本の民主主義のおかしさを体現しているように私は感じるんですよね。

金平　去年、僕は沖縄国際大学で通年の授業をやったんですが、面白い場面に出くわしました。１９７０年のコザ暴動ってあるじゃないですか。嘉手納基地のゲート前に位置するコザ（現沖縄市）の街で、米兵が起こした交通事故をきっかけに駆けつけた群衆が米軍関係の車両を焼き討ちしたんですよね。75台以上が焼かれたといわれています。四半世紀に及んだアメリカ統治への不満や怒りの爆発だったのでしょうが、それを授業で扱ったんです。そんな折、沖縄市の高校生の失明事件が起きました。

大矢　沖縄市宮里《みやざと》の路上でバイクを運転していた男子高校生と、手に警棒を持って巡回中だった警察官が接触し、高校生が右目に重傷を負って失明した事件でしたね。

1970年に嘉手納基地のゲート前で起きたコザ暴動
（沖縄市歴史博物館所蔵）

金平　結局、その警官が故意にやったというので処分はされたんですが、授業当時、警官の刑事処分はまだ確定しておらず、何となく県警側が謝っていた曖昧な状態だったのですが、それをみんなで授業で討論したんですね。ある人が「これは第2のコザ暴動だ」と言ったところ、沖国大の学生たちがすごく反発してね。「やめてください、コザ暴動事件みたいなものとあの事件を結びつけるのはイヤです」と言うんです。いま「恥ずかしい歴史」という言葉が大矢さんの口から出ましたが、コザ暴動について出てきた学生の素直な意見では、あれは沖縄の戦後の歴史のなかでいうと「恥ずかしい歴史」の一つだという位置づけだったわけで、僕の認識とは全然違ったのでびっくりしました。コザ暴動って、アメリカ兵が交通事故を起こしても日本には裁判権もなく、無罪放免になるなどやりたい放題で、司法権についてはいわば植民地みたいな状態だったわけでしょ。そんなことに対しておかしいじゃないかという積もり積もった怒りが暴動事件として爆発した、というのが僕の認識だったものですからね。それを今の子たちは「恥ずかしい歴史」だというのは、僕らが民衆の立ち上がってきた歴史をきちんと継承し損なったということでしょうね。

それ以外にも、60年安保闘争とか砂川闘争とか内灘闘争とかたくさんあったじゃないですか。つい最近のことだって受け継いでもいいような話ってたくさんあります。例えば、アフガニスタンで灌漑事業をやったペシャワール会の中村哲さんたちの活動とかね。それがなぜか一面的な考え方に押し込められて、うまく伝承されていない。これは教育の問題とか、ジャーナリズムの問題とか、いろんな要素がありますから、簡単に解決できる話ではないと思いますが、そういうことをすごく感じますね。

アメリカはそれに比べるとまだ何か変化の息吹を感じますね。民主党といってもプログレッシブ（進歩・革新）もいれば超右翼もいるし、共和党といってもトランプみたいな人もそうでない人もいる。また過去のことをきちんと学んでいこうといった流れも、さっき言ったエルズバーグさんの話とか、マーチン・ルーサー・キング牧師の話とか、レイチェル・カーソンなどの環境保護の運動もある。アメリカのほうがましというか、まだ青年期ですよね。これに対して日本って、初老の時期にさしかかったみたいで、内向きになっていて、外から活力を取り込んでいくような機運はすごく衰退しているように思いますね。

大矢　金平さんのお話を伺っていて思ったんですけど、言葉が持つ意味合いってすごく大きいですね。例えばコザ暴動だって、「暴動」という言葉が持つ意味合いは、今はすごくネガティブじゃないですか。一方的な暴力行為みたいなイメージを連想させますが、英語だとイメージするのはプロテストだし、レボリューションです。

金平　Riot（ライオット）……。

大矢　そうそう。でも英語でいう暴動、つまりRiotって、プロテストの一環であったり、レボリューションの一環だったり、市民の持つ力という意味でのRiotじゃないですか。それを「暴力はいけないよね」というような一般論に封じ込めてしまっていたら、本来の市民が持つ力という意味が抑え込まれてしまうんじゃないかと私は思うんですよね。権力側が行使している圧倒的に大きな構造的な暴力があって、それに立ち向かう市民の力があるわけじゃないですか。市民が持つ力を行使した時に「やっぱり暴力だよね」と、どっちもどっちみたいな論調になってしまう日本の風潮は、とてもよろしくないと思っています。

それは沖縄平和運動センターの山城博治議長（当時）の事件でもそうでした。辺野古の米軍キャンプ・シュワブのゲート前で、資材搬入に抗議するために実施したブロック積みが、憲法の保障する表現行為に該当するかどうかが争われたんですが、基地の白い線を越えて中に入っているか入ってないのかとか、そういう議論でしかこの問題が語られない。本来、問われなければならないのは、沖縄の土地に基地の白線を引いている側、つまり日本政府の暴力であり責任です。問題を矮小化して考える傾向にある今の日本の現状は、非常に問題だなと思うんです。

「暴力」ってそもそもなんなのか、国民的な議論が必要だと思うんです。市民が本来持っている「権力側に立ち向かう力」をみんなに気づいてほしいし、私たちはその力を行使する権利があるんだということを日本人が意識しなければ、この社会の負の連鎖は変わっていかないのではないかと感じているんですよ。

金平　「暴力」という言葉に関していうと、大矢さんが住んでおられた八重山で起きていることは、国家による有無を言わせぬ力の行使という意味ではとっても暴力的なんです。今年3月16日に陸上自衛隊の石垣駐屯地の開所式が行われましたが、僕はその前に与那国から石垣をずっと回って来ました。そこでウクライナ戦争をきっかけとしたショック・ドクトリンとして行われていることの一つが、台湾有事に備えた沖縄南西諸島の前線基地化なんですよ。そこに自衛隊のミサイル部隊を配備するという。

与那国島の陸上自衛隊基地。今年、政府は新たにミサイル部隊を配備する計画を発表した。
（撮影：比嘉真人、映画『沖縄スパイ戦史』より、沖縄・与那国島、2018年）

膨大な予算がついてすごい勢いで人が送り込まれ、基地をどんどん建設し、このままいくと与那国の人口の2割以上が自衛隊関係者になってしまうということです。弾薬庫はかなりでき上がり、次はシェルターを作ることになっています。石垣港に接岸した自衛隊の艦船からは、ミサイル基地の装備品がガンガン駐屯地に運ばれていました。

それに反対する声を上げていた人もいましたが、はっきり言うと少数派です。今はほとんどの人が傍観者になっていて、利害関係を持っている人たちは「景気がよくなるね」みたいなことを言っていました。石垣島には家族も含めた自衛隊の官舎アパートが建てられるんですが、1戸あたりの建設費用は5500万円で、普通の民家に比べるとすごく立派で、石垣の住民たちは〝億ション〟と呼んでいました。加えてゼネコンなどの工事関係者が入り込んですから、儲かるわけです。辺野古や高江で起きているようなことが、今度は離島で、しかも米軍じゃなくて自衛隊が、有無を言わせぬ形でやってきているという暴力的な事態です。

◆私が八重山毎日新聞に行き、琉球朝日放送に入ったわけ

金平　大矢さんは八重山にずっと住んでいましたから、そこに対する思いは僕なんかより強いんじゃないですか。八重山毎日新聞にインターンで行ったんじゃなかったでしたっけ。

大矢　早稲田大学大学院の1年生の夏休みに、八重山毎日新聞で2週間インターンシップをしたのが全ての始まりですね。ですから、私にとっては故郷も同然です。

金平　なぜ八重山毎日新聞に行こうと思ったんですか？

大矢　それはちょっと面白い話なんですけど……。大学院ではインターンシップが必須科目だったのですが、実は、最初は中東のアルジャジーラを希望していて、願書を出していたんです。でも、夏休み直前になって「受け入れ不可」の連絡がきてしまって。困っていた時に、金平さんもご存じの瀬川至朗先生が「八重山毎日新聞の受け入れ枠が一名分空いているけど、どうですか」って言ってくれたんですよね。「ずっと沖縄に関心を持っていましたので、行きます」と二つ返事で申し込みました。

ですから、アルジャジーラがダメになったのがきっかけなんですけども、もし八重山毎日新聞に入ってなければ、戦争マラリアも知りませんでしたから、ＱＡＢ（琉球朝日放送）にも入社していなかったでしょうし、映画『沖縄スパイ戦史』もなかったし、ルポ『戦争マラリア』の出版もなかったと思うんですよね。

金平 そうすると、アルジャジーラか八重山かの選択だった。それはやっぱり、自分の中に戦争というテーマがあったわけですね。

大矢 そうです。

金平 アルジャジーラはカタールのドーハに本拠のある衛星テレビ局ですが、果敢に報道したのは中東各地での戦場報道ですよね。そこでアメリカが戦争の現場でやっていることを批判的に報じ続けた。イラク戦争の時とかはすごかったですね、記者が何人も死んでいますし。

大矢 アルジャジーラは、2001年にはアフガニスタンのカブール支局が、2003年にはイラクのバグダッド支局が米軍によって空爆され、犠牲者も出ました。

私は大学生の時からずっと、中東に行きたいと思っていたんです。アメリカの対テロ戦争がまだ続いていた時だったので。大学院の面接試験で、私は「日本人は対テロ戦争にどれだけ自分たちの責任があるか全く認識してないので、メディアの責任を問うような研究がしたい」と話したんですよね。それが結構大激論になってしまいまして。他の受験者の面接は20分とかで終わっているのに、私は1時間近くかかりました。激論でしたので、これは落ちたかなと思ったんですけど、幸い受かったのです。

金平　それで八重山に行って、そこで戦争マラリアの話などを知ることになったんですね。

大矢　そうですね。八重山毎日新聞でインターンシップをした2009年当時は、まだ与那国島に自衛隊を誘致するかどうか話し合っている時だったんです。与那国島への自衛隊誘致計画が浮かんだのは、2007年でしたから。少子化と高齢化によって人口減少に歯止めがかからなくて、何とかして国策を誘致したいという思いが強かったんです。与那国の外間守吉町長(当時)に何度か取材をしましたが、彼は「自衛隊じゃなくても良かった」って断言していました。「とにかく、島を出た若者たちが帰ってきて家族を持てるようにしたい。だから産業が欲しい」と。結果として、日本最西端の島ということで、自衛隊の誘致になってしまったわけです。日本とアメリカの国防政策の大きな枠組みだけを見れば、与那国への自衛隊配備は国防上必要だという考えに陥ってしまいがちなのですが、与那国の自衛隊配備計画の発端は「中国が怖いから誘致した」という話では全くなくて、「経済的な起爆剤としての誘致」だったんですよね。

金平　わかります。その時の町長の外間守吉さんが今は後悔しているというんです。その後の糸数健一さんという町長が、戦前の与那国島の詩人の詩をひいて、とにかく政府は国防の島にするということだから、国を守るための浮沈空母として島を位置づけたいみたいな、とんでもないことを言い出したわけです。有無を言わせぬという意味でいうと、反対の声を上げていた町民の人たちも疲れ切っていて、ミサイル部隊配備に明確に反対している町議も田里千代基さん一人だけ。台湾有事に備えて、一番台湾に近い与那国と石垣、宮古にミサイル部隊を配備するのがなぜ悪いのか、そういう声が圧倒的な主流になってしまいました。また、観光という感じで来ている人がすごくいましたが、その人た

与那国島の断層崖「ティンダバナ」に掲げられた伊波南哲の詩「讃・與那國島」。沖縄戦の２年前に作られたこの詩には「（与那国島は）黙々として皇國南海の鎮護に挺身する沈まざる二十五万噸の航空母艦だ」とある。

（撮影：大矢英代、沖縄・与那国島、2018 年）

ちはここをミサイル攻撃の最前線基地にするなんていうことは何の関心もないですね。

大矢　むしろ安心できると思っているんじゃないですか。

金平　またこの間、航空自衛隊宮古島分屯基地を離陸した自衛隊のヘリが墜落して、10人が亡くなったでしょ。偵察飛行とか言っていますが、なぜあそこを飛んでいたのかはいまだに語られていません。しかしその後の報道ぶりを見ていると、重要な中国からの守りに備えているなかでの悲しい出来事だというふうな感じの論調ですね。事故自体は痛ましいことですが、国防の任に当たる人たちが殉職されたことは悼むべきだといった論理が前面に出てきていて、事故が起きるような環境が何だったかという根本的な疑問が提出されていないことは怖いですね。

　こうした時だからこそ、当事者である住民の人たちがどういう思いでいるのか、住民の多くが無力感に陥っているなかで、意識的に声を上げている少数派の人たちも含めて、ここで起きている過酷な現実に対する声をすくい取っていかなければならないと思います。それは46年間テレビの記者をやっていて、筑紫哲也さんや西山太吉さんのような先輩から受け継いできたことです。また政治家で言えば、大田昌秀さんとか翁長雄志さんのように、ちょっとひどいじゃないかと声を上げ続けていた人たちがいたじゃないですか。その人たちのことを僕らは取材を通じて知っていますから、ここで「もういいや」と諦めるつもりは毛頭ありませんね。
　大矢さんも、アルジャジーラのインターンがたまたまなくなって、たまたま行った沖縄で、その後ＱＡＢ（琉球朝日放送）で沖縄報道に深く入り込むことになったんじゃないですか。ＱＡＢにもいろんな人がいたんでしょ。

大矢　先輩の土江真樹子さんとか三上智恵さん……お世話になった方々は数えればきりがありませんね。

金平　ＱＡＢの中においてさえ複雑なのは、土江さんも三上さんも、そしてあなたもヤマトンチュでしょ。「ヤマトが来て何を言うのか」みたいな乱暴なことを言うウチナーンチュもいたと思います。僕なんかも、「結局はあんたらにはわからないよ」みたいなことをしょっちゅう言われていましたし、今も言われることがあります。僕はそう言ってもらって結構だし、そのほうがかえっていいんだと思っています。言ってもらって初めて自分たちの不完全なところとか、立ち位置の違いみたいなものを意識できますから、じゃあ次はどうしたらいいのかと考えられるというかね。そこで対話不能になることはありませんから、それは不思議なことですよね。ヤマトの人間がテレビというメディアで声を上げ、それがきっかけになって映画にも繋がっていき、沖縄のジャーナリズムの中である種の存在感を示しているということは、すごく重要なことだと思っています。しかも全員が女性だったというのも、何だか複雑な思いがありますね。

大矢　それはどこか必然的なところがあったかもしれないですね。私も三上さんも土江さんもそうですが、ＱＡＢの社員は、全員、非正規の契約社員からスタートしているんです。もちろんボーナスもありませんでしたし、いつ切られるかわからないわけです。だから、かえって一日一日を引き算で仕事をしていたところがあるんです。一番大事にしなければいけないのは、沖縄の人たちの命と生活であり、「沖縄の人たちが幸せにならなければ、日本人の幸せもない」と思っていたので、ジャーナリズムを通じてそれを実現していくことが、自分に与えられた仕事だと思っていました。先輩たちはＱＡＢ労組を結成して、非正規から正社員になるまで長く苦しい闘いをしてきました。私も最終的には試験を受けて正社員になりました。でも、ジャーナリストの仕事を沖縄でスタートしたこと、しかも非正規で働いたということが、自分の中ではすごく大きな励みになり、仕事に誇りを持てたというところがあるんですよね。

あと、沖縄本島で仕事をして初めて気づかされたのが、さっき金平さんがおっしゃったような、ヤマト（大和＝本土）の人だから、ウチナーンチュ（沖縄の人）だから、という視点の重みなんです。ご存じのように、八重山って沖縄の中でもすごく特殊な地域じゃないですか。

金平　沖縄本島とは全然違いますよね。

大矢　歴史的には、むしろ沖縄本島から差別され、搾取されてきた人たちなんです。私の沖縄でのスタート地点が、沖縄本島ではなく、八重山の中でも石垣でも西表でもなく、波照間からだったというところが大きな意味を持っています。沖縄本島から搾取されてきた八重山の中で、さらに差別されてきた波照間から私は戦争の取材を始めたので、波照間の人たち、八重山の人たちがどのように沖縄本島を見ているかということが、よくわかったんですよね。

例えば、波照間のおじい、おばあたちって、沖縄本島に行くことを、「沖縄に行く」とか、島の言葉では「ウスナーチングン」という言い方をするんですね。八重山では、沖縄の人のことを「ウチナーンチュ」とは言わないで、「ウスナーンピトゥ」と言うんですけど、それは沖縄本島に住んでいる人たちだけのことを言います。自分たちのアイデンティティはそこには属していないんです。自分たちは八重山の人間で、波照間の人は「ベスマーピトゥ」だし、石垣の人は「イザスマーピトゥ」だし、それぞれの島のアイデンティティがあると。そういう意味で、私は「ヤマトゥーピトゥ」として「ベスマーピトゥ」たちと一緒に生活をして、沖縄本島の人とは違う価値観と歴史とアイデンティティの中で過ごしたので、むしろ沖縄本島に行った時に、与那国から南大東まで十把一絡げに「ウチナーンチュ」と言っている沖縄本島の人たちの考え方に違和感を持ち、カルチャーショックがあったんですよね。

金平 それはすごく重要なことです。八重山日報の人といろいろ話したら、「沖縄タイムスも琉球新報も、本島の人はわかってない」と言っていました。亡くなった親友の大盛伸二さんというＲＢＣ（琉球放送）の人が言っていたことが、とても面白く思い出されます。それは、首里城が焼失した時に、本島では「沖縄の心が失われる、みんな悲しみに沈んでいる」と言っていたけれども、八重山から見ると、「何を言ってんの。首里城なんていうのは、私たちを支配し搾取してきたところ。そんなところが焼けて、何で沖縄の心が失われたり、私たちも一緒に悲しまなけりゃいけないのよ」と言うんです。すごいなと思って僕はそれを沖縄タイムスに書いたら、「そんなことを書いている人は金平さんの他には誰もいませんよ。みんな悲しいはずです」と編集者に言われたんです。僕は大盛さんの言う、心の一番内奥のところにある本音ってすごく大事だと思いました。それはアイデンティティという言葉でしょ。翁長さんも「イデオロギーよりアイデンティティ」と言っていましたよね。

今日の討論テーマからは少し外れるかもしれませんが、波照間から始まったという大矢さんの個人的な思いは大事なことですね。

大矢　インターンシップの時に、戦争マラリアを知ってしまったことがきっかけだったんですよね。大戦末期に、八重山諸島の住民が、軍命によりマラリアの無病地帯から有病地帯に移住を強いられたことによってマラリアに罹患し、3600人余の命が犠牲となった出来事ですね。私が戦争マラリアと出合ったのは、戦後65年の年だったんですが、「今、自分がこの取材をしなければ手遅れになってしまう」と決心しました。当時のことを知る人たちは、日に日に高齢化して亡くなっていってしまうし、知ってしまったからには取材をしなければいけない。一番被害が大きかった波照間に行かなければいけないな、という気持ちでした。で、大学院を1年休学して波照間に移住したわけです。

実際に島で生活するにつれて、被害者とか証言者とかいう視点ではなくて、そこで生きてきた人たちが自分の生活の一部になっていきました。個人的に人間関係ができてくると、同じ島のコミュニティの一員というような位置づけで、ずっと取材をさせてもらったんですけどね。でも、まさにその八重山が、今、軍備増強の最前線になっています。

金平　とにかく、さっき言った沖縄南西諸島での有無を言わせぬ暴力的なミサイル基地の配備が現在進行形で進んでいるという大きな枠組みでいうと、「新しい戦前」の始まりを象徴するような出来事です。大矢さんも僕も共にその現場を目撃し、取材をしてきたわけですよね。

大矢　そうですね。

金平　そのことはたぶん、日本の全体の中でいうと、あるいは東京から見ていると、「何を言ってんの、南西諸島がそういう役割を担うのは当たり前でしょ、興味ないよ」といった、高みに立った見方に陥ることになるかもしれません。もっというと「中国を放っておくと危ないぞ」と、中国に対する差別的で仮想敵視するような視点がすごい勢いで広がっています。

中国に対する日本国民の平均的な親近感を聞くと、内閣府の「外交に関する世論調査」では、「友好的だ」が17％くらいですね。日中国交回復の時には80％ぐらいが中国とは友達で仲良くなりたいと答えていたんですから、数字が逆転するぐらいの変化が起きてしまっているんです。もちろん中国がとっている政治体制は日本とは違うし、それがすべてすばらしいなどと思ったことはないですよ。非民主的な体制の中で起きている人権侵害のケースにも耐えがたいものがあります。もちろん、人権侵害でいうと日本のほうがもっと酷かったりするケースもありますし、アメリカだって国内での民主主義の政治システムのあり方と、戦争を含めた対外的なやり方が分裂しているということも見た上で言っているんですけどね。世界の安全保障を考えた時、それはとても危険な兆候だと考えざるをえません。

◆日本のメディアの今と将来を考える

大矢　国境なき記者団（ＲＳＦ）が毎年発表している世界報道自由度ランキングがありますが、今年（２０２３年）の最新報告で、日本は68位で、Ｇ７の中で最も低い評価でした。この報告書がずばり問題を言い当てていて、なかなか興味深いんです。「（日本の）ジャーナリストは政府に責任を追及するという役割を十分に発揮できていない」と断言しているんですよね。

理由としては、日本には新聞と放送局の相互所有に対する規制がないため極度のメディア集中が続いていること、日本政府が特定秘密保護法の改正を拒否していること、記者クラブによって「フリーランサーや外国人記者に対するあからさまな差別」が行われていることなどが挙げられています。さらに、日本政府を批判したり、福島第一原発事故に関する健康問題など「非愛国的」な取材をしたりするジャーナリストに対して、インターネット上で日常的な嫌がらせが行われていることも指摘されています。また、「日本政府と企業は日常的に主流メディアの経営に圧力をかけており、汚職、セクハラ、健康問題（新型コロナウイルス感染症、放射線）、環境汚染など、デリケートと見なされるテーマについては厳しい自主規制が行われている」とも報告されています。

その辺も踏まえて、実際に日本の報道現場にいらっしゃる金平さんに、今、報道現場で何が起きているのか、ぜひ伺ってみたかったのです。

金平　最近、放送法のことが大きなテーマになりました。立憲民主党の小西洋之参議院議員が――彼自身が総務省のOBだったんですが――放送法の「政治的公平」の解釈を巡る78ページの内部文書を入手して公表し、総務省もそれが行政文書であることを認めました。それは安倍政権時代の2014〜16年頃、当時の礒崎陽輔首相補佐官が総務省に乗り込んで、けしからん番組は取り締まらなければダメだろうと、放送法を盾にしてチェックすべきだとすごんだんです。その時の総務大臣が高市早苗氏でしたが、彼女は自らに関する4枚の文書部分は「捏造」だと主張しました。

当時、高市総務大臣のいわゆる電波停止発言があったわけです。放送事業者が、政治的な公平性を欠く放送を繰り返した場合、電波法に基づき「電波の停止」を命じる可能性は否定できないという答弁です。僕はその時にこれに抗議をした記憶があるんです。今は亡き岸井成格さんをはじめ、大谷昭宏、田原総一朗、鳥越俊太郎、青木理など各氏と一緒にやったんです。それで、小西議員が暴露した内部文書をきっかけに、放送法をめぐってジャーナリズム、特にテレビのジャーナリズムの役割は何だといったことが話題になりかけたんです。ところが小西議員が「サル発言」をやってしまって、憲法審査会のありようをからかうような発言をしたために、彼は役職を外された上に謝罪を求められ、そっちのほうに論点がすり替えられてしまったんです。この時のメディアのバックラッシュ（反動）は途方もなくひどかった。

そして高市議員がこの総務省文書自体を捏造だと言ったものだから、それに対する攻撃が主となり、総務省の文書が語っていることの本質は何なんだというところから議論の焦点が外れてしまいました。つまり、政治が公共放送に介入して、その内容をチェックして取り締まるような、民主主義国家においてはあってはならないことが実際にあったんだ、ということから目がそらされてしまっています。残念ながら、それが今の日本の現状なんですよ。

大矢さんはアメリカに行って、向こうのメディアをたくさん見てきているでしょ。それらにはいろいろな色分けがあって、僕もアメリカに住んでいた時にはNPRは聞いていたし、リベラルな論調のPBSも重宝していました。アメリカには、日本でいう地上波のメインストリームであるABC、NBC、CBS、CNN、FOXという5大ネットワークがあり、これらが今に至るまで圧倒的な影響力を持っています。テレビ離れしたとか新聞離れしたといっても、その影響力は大きいんですよね。そちらで見ていて、日本のメディアとの違いで一番感じられていることは何ですか？

大矢　日本に帰ってきた時に一番強く感じたのは、日本でニュース番組と呼べるのは金平さんがメインキャスターをしていたTBSの「報道特集」くらいしかないなということでした。権力の監視というジャーナリズムの基本を守り、きちんとした調査をして、信頼できるニュースを視聴者に伝える報道が、日本には欠けているとつくづく感じるんですよね。

例えば、日本のいわゆる「ニュース番組」に出てくるのは、タレントとか何々コメンテーターとかいった人たちで、ネットでバズっているような話題を中心にやっています。国民にとって本当に大事なことを伝えていないんですね。思考停止に陥るような「ニュース番組」、というよりも情報番組ばっかりです。そもそもアメリカのように24時間ずっと最新ニュースを報道しているチャンネルがない、ということも大きな違いですよね。

もちろん、アメリカの報道がいいかといったら、必ずしもそうとは言えないと私は思っています。CBS、CNN、FOXなど、各社のスタンスで伝えているところはある意味で大事だと思うんですが、伝える側はそれぞれの視聴者層がわかっているので、視聴者受けしやすいニュースばかりを流しています。

ＦＯＸニュースは、トランプ大統領の支持者たちが好むニュースを伝えることで記録的な利益と視聴率を伸ばしてきました。とりわけ、２０２０年の大統領選挙キャンペーンから２０２１年１月６日の連邦議会襲撃事件に至るまでの報道内容は、目に余るものでした。

ＦＯＸニュースアナウンサーのマーサ・マッカラム氏は、連邦議会に突入した人々の様子を生中継で伝えながら、「明らかに、これは抗議活動参加者にとって大勝利です。彼らはシステムを大規模に混乱させたのですから」「ある意味で反乱という言葉が使える場面だ」などと発言していました。

また、ＦＯＸ社は、大統領選挙の集計結果を不正に操作したなどという報道で名誉を毀損したとして、投票機メーカーから訴えられ、今年４月に７億８７５０万ドル（約１０６０億円）で和解が成立したばかりです。この裁判の最中には、トランプ支持者として知られたＦＯＸニュースの看板アナウンサー、タッカー・カールソン氏が解雇されたことも話題になりました。

ＦＯＸニュースで人気番組の司会を務めるコメンテーターのショーン・ハニティー氏は、トランプ政権の「ナンバー２」と呼ばれたマーク・メドウズ大統領首席補佐官と、選挙期間中から議会襲撃事件にかけて個人的にやりとりをしていた携帯ショートメッセージ（ＳＮＳ）の記録が暴露されました。これは昨年（２０２２年）のＣＮＮの報道で明らかになったことです。

合計82通ものやりとりから、2人が当時のトランプ大統領の戦略について議論し、トランプ大統領退任後に何をすべきかについて、共同でビジネスを行うことも視野に計画を立てていたことが浮き彫りになりました。

その内容を見てみると、2020年の大統領選挙の投票日に、メドウズ補佐官から「一票一票が重要だと強調せよ。外に出て投票しろと。ラジオで」と、ハニティー氏の番組を通じて、視聴者に投票を呼びかけるよう求めているとみられるメッセージが送られています。それに対してハニティー氏は「イエス、サー」と返答し、「特に後押しが必要な州はどこか」などと尋ねています。

ニュース番組の看板キャスターが、政権の要役と蜜月の関係にあった。メディアと権力との癒着が露呈されたのです。

この報道のあと、もちろんハニティー氏への批判が集まったわけですが、彼は「確かに私は報道機関の一員であるし、675のラジオ局と提携しているし、ニュース専門チャンネルであるFOXニュースに出演している。しかし、私はジャーナリストではない。トーク番組の司会者だ」と自身の番組で言い切りました。すごい責任逃れですよね。

アメリカで起きているのは深刻な分断です。それぞれの局が、それぞれの視聴者好みの情報だけを伝え続けていくほどに、お互いの間はどんどん開いて亀裂が生じていくんです。「私はこれを真実だと信じているので、ＦＯＸしか見ません」とか、「私はＣＮＮしか信じていないので、これしか見ません」とかいう人たちがいて、それぞれが小さな泡の中で生活しているような感じです。互いが自分の心地の良い情報ばかりを受けて生きていて、外の人たちが見ている世界観が全く共有されないというのが、今のアメリカだと思うんですよね。

さらにソーシャルメディアがこの状況を悪化させていて、「エコーチェンバー現象」が深刻化しているように感じます。限られた空間の中で音が反響するのと同じように、ソーシャルメディアという自分が好きな情報だけを選び取って、自由に「フォロー」できる空間で、人々は反対意見や対照的な視点に触れることなく、自分自身の信念や発言が他の人々によって繰り返され、強化されるのを聞いているということです。そういう意味では、２０２１年１月６日の連邦議会襲撃事件は起こるべくして起きたのではないでしょうか。

金平　なるほどね。今の言論状況でいうと、僕はメディアで全体を俯瞰するようなことを反省的にやっているんですよ。で、メディア批評みたいなことをやっていると、今危機的なのは、言葉の重みとか機能とか質というのがすごく変質してきているということです。僕らはテレビに出れば、映像の力ももちろん強いからそれに依拠しながらも、やっぱり言葉で何かを相手に伝えたいと思うでしょう。ところが、言葉の機能が変わってきたというか、言葉が単なる道具や手段となっている。言葉の働き自体の素晴らしさは、やっぱりあるんですよ。

今日この話が始まるまで、あるシンポジウムに出ないといけないので、テレビでいろんな人の番組をほとんど徹夜で観ていたんです。４本ぐらい観た時に思ったのは、偉大な人というのは僕らの身近な先輩にもたくさんいるということでした。その人たちの発する言葉がものすごく重みを持っているんですね。一人は中村哲さん、もう一人が石牟礼道子さんですが、生前の言葉を聞いていてもその重みがひしひしと伝わってくるんですよ。それから〝浜のドン〟という横浜の港湾労働者たちをまとめあげていた藤木幸夫さんというボスがいるんですが、この人に密着したドキュメンタリーがあって、それを伝える記者たちが発している言葉に比べると、〝浜のドン〟の言葉には、こんなすごいことを普通に言っていたんだみたいな重みが感じられました。

そういう言葉がなくなって、チャラチャラしていて、ふわふわしていて、次の瞬間に消えてしまうような言葉だらけになってきていません？　言葉自体の持っている重みや価値が薄くなってきて、言葉に対する自分たちの向き合い方が変わってきているのではないでしょうか。話し言葉と書き言葉でいうと、書き言葉は面倒くさい、話せばいいじゃんとなりがちで、話し言葉は流れてしまうこともありますが、書き言葉にはある種の重みがあります。書く場合はそれなりに思いがあるから、書かれたものに比べて対談はどうしても薄くなりがちですね。もちろん対談本の中にも、こんなことをこの時にこの人たちは指摘していたのかと気づくこともあって、やって良かったと思う時もあるんですが。あ、これも対談ですね（笑）。

それはいろいろな理由があると思いますが、言葉を発している人の問題と同時に、メディアが変わってきているということがあるんじゃないでしょうか。僕は出版関係で仲の良い人はたくさんいますが、彼らに聞くと、今出版社はどんどん変質しているようです。大手であればあるほど、漫画をアニメにして配信し、版権やさまざまなライツを外国に売って、それで出版社は成り立ってしまう。その儲けを本当に作りたいところに回していくみたいな構造になっているようです。単行本として出すのは、著者とゆっくり校正しながら作り上げていくのですから、手間暇がかかりますからね。最近、ある大手出版社なんか見ていると、出版を二の次にして、ゲームやアニメにできるようなネタをまず探してきて、情報として売り買いをするようなことを最優先でやっています。

それから新聞に出ている言葉が変わってきました。重みがなくなって、読み流すような記事が多くなりましたね。僕は朝日の高橋純子さんのコラム（記者コラム「多事奏論」の筆者で編集委員）は好きなんです。中身に辛辣な批判精神があり、なによりも彼女らしい独特の文体があります。しかしこういうものは例外的で、ほとんどの新聞記事自体が軽くなってきています。さらに、新聞記事がネット化されてオンライン配信されるようになったでしょう。そうすると何がその記事の評価基準になるかというと、アクセス数なんですよ。

大矢　そうなりますよね。

金平　新聞の現場の人に聞いたんですが、「ヤフトピ（Yahoo! ニューストピックス）でバズれ」が合言葉になっているんですって。「おれ、ヤフトピでバズっちゃってすごいんだよ」みたいなことを記者同士が言い合っていて、それがいい記事の基準になっているようですね。申し訳ないけど、そんなことを目指して記事を書く新聞記者ばかりになっちゃったら、それは新聞の自殺行為であり、新聞社は滅びてしまいますよ。

テレビも、大矢さんが言っていたように、まともな報道番組が少なくなり、見てくれとか瞬間芸のような人たちが出てきて、笑いをとって、「じゃあ次に行きましょう」みたいになっています。それって、僕の言い方が偉そうだと言われたらそうかもしれませんが、言葉の持っている本来の働きとか価値を蹂躙し、辱めている気がするような時があります。しかもそれは、ジャーナリズムにとどまらず、社会全般に広がっている一種のトレンドだと思います。それが日本だけのことなのかどうかはわかりませんが、僕の周りで起きていることってそういうことばっかりなんだとなると、悲しくなりますよね。

大矢　とても共感できます。私も、ちょっと生意気だと言われるかもしれませんが、読者や視聴者をバカにしているんじゃないかって思う時がよくあるんですよね。特にテレビは、タレントを頻繁に起用して、ニュース番組がバラエティー番組のような扱いになっています。タレントが悪いといっているわけではありませんが、タレントの中でもあまり物を考えていない、どうでもいいような発言しかしない人たちをコメンテーターとして据えて、ニュースを柔らかくして伝えようとしています。テレビの視聴者は、アニメなどを見る10代を除いて、年齢層が高くなるほど増える傾向にありますから、彼らに受けるような番組を作ろうという大前提が制作側にあるわけです。逆に言えば、子どもや年齢層が高い人たちは良質なニュース番組なんて見ないし、タレントや芸人がわいわいがやがやとやっているバラエティーのノリの番組を好むに違いないと、制作側がたかをくくっている。これでは大半の視聴者は嫌気がさして、「もう二度とこんな番組見るか」って離れていきますよね。

その一方で、ドキュメンタリーとか本当に作らなければいけない番組は、予算がどんどん削られています。私がＱＡＢ（琉球朝日放送）にいた時は、テレビ朝日のドキュメンタリー番組『テレメンタリー』の予算は、一本あたりたった３００万円程度でした。例えば、『テロリストは僕だった』はイラク戦争でテロリスト掃討作戦に参加した一人の元海兵隊員の姿を通じて、米軍の構造的暴力や国家とは何かを問う番組でしたが、その番組を作るには沖縄県内の取材に加えて、アメリカ取材を2週間やる必要がありました。多額の予算をQABという一つの局では捻出できなかったので、何とかして『テレメンタリー』枠を取ろうと、テレ朝本社まで行って、企画会議でプレゼンをして、やっと企画が通ったんです。ただ、ようやく番組を作っても放送枠が朝の4時半とかで、電通による視聴率は悲しくなるような数字でした。おぼろげな記憶ですが、0・5%とかだったような。それで、「ドキュメンタリーなんか見ている人はいないよ、朝の4時半でも3時半でもいいじゃないか」となってしまう。テレビ局の経営側や営業側には、結局、数字ありきの価値観で判断されてしまいがちです。

　本当に良質な番組はそうやって陰に追いやられてしまい、どうでもいい番組が数字を取れる番組として、ゴールデンタイムに上がるわけです。金平さんがおっしゃった「ヤフトピでバズれ」というのも同じようなことですよね。数字でしか――その数字自体が必ずしも正しいとは思いませんが――目に見える数値でしか判断できないのは、自分たちの価値判断の放棄であり、メディアの責任放棄であり、読者をバカにしていることだと私は思います。こういう日本のメディアの状況の中で、読者や視聴者がメディア離れし、もうジャーナリズムは信頼できないとなったら、どうやったら信頼を取り戻せるのかって思います。それは市民の責任ではなく、作る側の問題だと思いますよ。

金平　僕はもっと言うと、作り手と観ている人との共犯関係だと思います。その不信感が建設的な方向に行けばいいんですが、それに対するオルタナティブ（代案）なメディアがちゃんと用意されているかどうかですよね。ＳＮＳはそうなっていますか？　アメリカの大手動画配信事業者によるネットフリックス（Netflix）はそうなっていますか？　アメリカは今、その群雄割拠の時代ですから、次はどっちが名乗りをあげるかみたいな感じで、ツイッター（Twitter、現在のｘ）やフェイスブック（Face book）がダメなら次は何だとか、インスタ（Instagram）の次はなんだとか、ティックトック（TikTok）は中国系だからダメだとか、いろんなものが群雄割拠していますからね。

◆ジャーナリストとして生き、市民に返せることとは

金平　でもさっきから言っているように、言葉が大事だし、きちんとしたコミュニケーションを取りたいと思うにつけ、公共的なメディア・ジャーナリズムの役割はますます大きくなって

きています。にもかかわらず、メディア全体がそれとは逆の方向に行っているというのが民主主義の危機のもう一つの表れなんですよね。「新しい戦前」が進めば、その大きな要素として、ジャーナリズムの解体が起きてくると思いますね。

というのはやはり、戦争が終わった時に、それに加担した責任を本当の意味で取っていなかったからではないかという気がします。戦後のジャーナリズムは、二度と大本営発表を繰り返さないということで出発したはずなんですが、今は戦争に向かおうとしているんですから。新聞って、戦争をやっている側についたほうが儲かるんですよ。大阪朝日新聞が、満州事変の時に、軍部批判について編集局で論議し、以後一切軍部の批判はやめようといったことを申し合わせたことがあります。これは保阪正康さんや半藤一利さんらの研究で明らかになっているんですが、その時のきっかけになった事件があったんです。関西のある県の在郷軍人会が朝日新聞の不買運動を起こして、その県では一紙も売れなくなったんです。一紙も。これって新聞社にとってはものすごいダメージですよ。だからある意味でいうと、朝日新聞の方向転換は、読者と経営者が共犯関係で作り上げていったということです。主筆・副社長だった緒方竹虎は朝日新聞を辞めて、後に情報院の総裁になるなど、戦争の旗振り役をやるようになってしまった。残念ながらそういう歴史もあったんです。

一方で、「ジャーナリズムとか何とか言っている奴がいるけれど、この世界を回しているのは経済なんだ」と豪語するリアリストもいますよ。経済が世の中の仕組みを回しているのは事実でしょうが、でもそこで言われている経済は、「経世済民」ではなく、もっと下品な「金儲け」なんです。本当にそうなのかなと僕は思っていて、金では絶対に買えないものもあるはずです。さっき言ったような、西山太吉さんとか筑紫哲也さんとか、大田昌秀さんとかから受け継いだものって、金では買えないじゃないですか。

大矢　そうですね。与那国に自衛隊を呼び込んでくる口実も、金儲けができないところには人が来ないし、若者は島から出ていくよ、ということですから。

金平　そうした金で取引しようという風潮が今現在すごい勢いで広がっていて、大きな曲がり角に来ていると言っても過言ではありません。石牟礼道子さんは、主婦として作家として、あるいはジャーナリストとして水俣病と死ぬまで付き合い、そこで多くの人と知り合い、いろんなことを考えた人です。それについて彼女は、「日本の近代って何なんだろう、という問いだった」と語っていました。そして、パーキンソン病になって亡くなられるギリギリのところで語っていたのは、「人が生きる目的とは何なんでしょうか」という言葉でした。そういうドキュメンタリー番組をちゃんと作っているテレビディレクターもいるんですよ。これはＮＨＫのＥＴ

V特集でしたが、あそこは財力もあるし人材もいますからできるにしても、そういう志を持っている人たちもいることは確かなのです。僕はそういう人たちと繋がりながら、まだやれることはあるんじゃないかと考えているんです。アクセス数しか数えてないとか、コンプライアンスしか言わないような、テレビ局の検察官みたいな人間ばっかりじゃないと思うから、言っているんですけどね。

大矢　その言葉を受け取る側もだいぶ変わってきたと感じることがあります。例えば、三上智恵さんが作った映画『標的の村』が公開された2013年当時は、沖縄の高江という小さな村で生きる人たちが、必死でヘリパッド建設に抵抗しているということに対して、全国のたくさんの人たちが共感してくれたんですよね。でも、あれから10年が経って、同じ声を伝えたところで、なかなかそうはなりません。「中国が攻めてくる」「あの人たちはお金をもらっている中国の手先でしょ」といった根も葉もない話にすり替えられてしまう。苦しんでいる人たち、声なき声を上げている人たちに対する共感と思いやりの姿勢が、どんどん失われてきているんじゃないかと感じます。

金平　高江には今も頑張っている人はもちろんいますが、取材で知り合ったご家族一家が別の島に移住されました。高江の米軍ヘリパッド建設に強く反対の意思を示し続けていた方々です。本当に頑張っておられた。何のために生きるかということでいうと、一生懸命やったけど、勝ち負けでいうと勝てなかった、その自分たちのこれからの人生をどのようにしていこうかと考えに考えた末に決断し、さらなる移住という行動を取ったわけでしょ。

沖縄を代表する写真家の一人に石川真生という人がいますよね。僕はこの人と会うたびに「またヤマトから来て、あんた何しているわけ」みたいなことを言われますが、最終的には言いたいことを言いあって、また会おうねとなるんです。彼女はがんに罹患していて、手術を繰り返すなどして、もうほとんど自力では歩けない、ボロボロの身体になっていました。でも、石垣でも人の肩につかまりながら写真を撮っていましたね。命がけですよ。「自分は写真を撮ることが生きることと一つ

写真家・石川真生さんと
（撮影：伊波リンダ、2023年6月）

になっていて、これを撮りたいと思ったら居ても立ってもいられなくなり、医者が止めても行くんだから」と言うんですから。そういう人と知り合ってしまったからには、何か一緒にできないかと思うんですよ。そういう人たちは、沖縄だけでなく、福島にも、ウクライナにも、モスクワにもいます。今のままでは絶対ダメだ、何とかしなきゃいけないと思っている人たちだけど、声を上げられなくて苦しんでいる人たちも少なくありません。

大矢さんは今ジャーナリスト教育の現場におられますが、その生き方は最後まで変わらないと思います。そういう気持ちを持ってしまったのは、別に出発点がアルジャジーラに断られたからだけじゃないでしょ。生まれはあなたも三上さんも千葉県だそうですが、そこに生まれて、テレビ報道の仕事に関わり、いろいろな経験を広げていくと、それを最終的にはどうやって返していくかという話になると思うんですよ。だって僕らは偉そうな顔をして、腕章やバッジをつけて一般の人が行けないような現場の取材に当たるわけでしょ。それをストーリーとして言葉で伝えていく作業に関わった時に、この仕事の大事さを理解されたと思います。それは簡単に変えられないし、捨てちゃいけないことだと思うので、三上さんや土江さんとまだ繋がっているように、大矢さんともこれからいろいろなところで一緒に仕事をすることになると思うんですね。

第Ⅱ部　沖縄から見た日本と世界、そしてジャーナリズム

（第２回　２０２３・６・２４、那覇市にて対面で）

金平　対談は今日が2回目ですが、こうして大矢さんと直接、顔を突き合わせてお会いするのは何年ぶりかですよね。

大矢　3年ぶりじゃないですかね。私と三上智恵さんが映画『沖縄スパイ戦史』（2018年）を制作したあと、それぞれが書籍『沖縄「戦争マラリア」』（あけび書房）と『証言　沖縄スパイ戦史』（集英社新書）を2020年2月に出版した時に、那覇で出版会見のイベントをして、金平さんが駆けつけてくださいました。

金平　那覇市内のどこかのお店の2階で大々的にやりましたね。たしか石原昌家さん（沖縄国際大学名誉教授）や沖縄タイムスの阿部岳記者も来ていました。

那覇軍港フェンス前で語り合う二人（2023年6月25日）

◆沖縄の現状にアメリカの学生は何を感じたのか

金平　昨日はたまたま78年目の沖縄慰霊の日でしたが、大矢さんはどちらにいらっしゃいましたか？

大矢　午前中はひめゆり平和祈念資料館に行きまして、午後は糸満市摩文仁《まぶに》の平和祈念公園です。

金平　今回は大学の教え子さんたちも同行しているそうですね。

大矢　はい。今回はシラキュース大学と早稲田大学の学生たちを連れてきました。どちらの大学も大田昌秀元知事の母校という不思議なご縁です。沖縄戦や米軍基地を学ぶ日米合同のプログラムで、シラキュースからは3人、早稲田からは23人、合計で26人でした。大半がジャーナリスト志望の学生です。

金平　それじゃ人数的には早稲田が主軸だったんだ。

大矢　そうです。というのは、実は今回のプロジェクトは、アメリカ政府から助成を受けて行ったんです。私はフルブライト奨学金で２０１８年に渡米しましたが、フルブライトの卒業生を対象とした「日米の友好関係を築く」という目的の助成金プロジェクトがあるんです。「日米の学生を集めてジャーナリスト育成教育をやりたい」とずっと夢見てきたので、これだって思って応募したら、採用されまして。それでアメリカ政府からの助成で開催したわけです。ただ、この助成金自体は日本人を対象としているので、シラキュース大学の学生の経費などは大学から独自に集めました。研修の中身はどうかというと、アメリカ軍基地の内部を見学したり、基地の周辺に暮らす住民の声を聞いたり、さらに戦跡を訪ねてまわって沖縄戦の歴史を学んだりしました。両国の学生に現場取材から学んでもらうという、クリティカルな研修になったんです。

金平　いや、アメリカ政府のお金の実に有効な使い方ではないですか。アメリカ軍基地が海外でどういう存在かを、アメリカ政府の助成金で日米の大学生が合同で見て学んだというのは、とても有効な使い方だと思います。その感想はいかがだったですか？

大矢　私は1年ぶりの帰国で、教員になって初めて3名の学生を連れての来日でした。研修を通じて学生たちと感じたのは、基地問題に対する日本の主権のなさでした。

簡単にスケジュールをご紹介しますと、初日は、普天間基地や米海軍基地のホワイトビーチに行き、海兵隊やアメリカ海軍の司令官やオフィサーらと記者会見をしました。ホワイトビーチは、海上自衛隊も一緒に使っている日米共同利用の基地なので、海上自衛隊の広報官との記者会見もありました。2日目は、嘉手納基地に行き、米空軍広報官との記者会見がありました。「エクスチェンジ」という米軍基地の中にあるショッピングモールで昼食をとり、学生たちに基地の中の暮らしも体験してもらいました。

2日間の記者会見と基地見学のあとに、アメリカの学生の一人が私に言ったのは、「基地問題の最大の原因は、日本政府の責任放棄ですね」ということでした。「日本本土から遠く離れた沖縄に問題を押し込めておけ、と日本政府がやってきた気がして。確かに、アメリカの責任は大きいと思います。ただ、日本政府が自国民の声を聞いていないことが、二重の支配構造を生み出していて、大きな問題だと思うんです」と。日本に初めて来たアメリカの学生たちが、たった2日間の現場検証で問題の核心を学びとったんですね。この島で起きている問題の根源が、日本政府の主権のなさであり、自国民を守らなければいけない日本政府が沖縄の人の声を無視しているという構造を見抜いた。研修に先立ち、５日間の事前授業で沖縄の歴史や基本的な知識を学んでいたとはいえども、学生の鋭い指摘には驚かされました。

私は彼にこう問いかけたんです。「日本全国には自衛隊との共同利用も含めて１３０もの米軍基地があります。米軍専用施設は76カ所です。もし、日本がアメリカ国内に76カ所もの自衛隊専用の基地を持ち、それらが日米地位協定によってアメリカ法の通じない施設であったとします。しかも、自衛隊基地の総面積の約70％がフロリダ州に集中しているという状況だったら、アメリカ国民はどのように行動すると思いますか」と。

アメリカ50州の中で一番小さなロードアイランド州ではなく、あえてフロリダ州に例えたのは、その学生がフロリダ州の出身だったからなのですが、彼は、「まず、そうした状況を作り出すこと自体がありません」と断言しました。「もしそういう状況が生まれたなら、フロリダ州民だけでなく、アメリカ国民みんなが怒りの声を上げるでしょう」と。

私が続けて、「では、もしフロリダ州にある自衛隊基地のうちの一つが住宅街のど真ん中にあって、地元の人たちが基地の閉鎖と土地返還を求めてきている。それに対して、日米両政府が「基地を返還してほしいのであれば、代わりに新しい基地をフロリダ州内につくらなければならない。しかも建設にかかる莫大な費用は、あなたのお金、つまりアメリカ国民の税金です」と言ったら、アメリカ国民はどうすると思いますか」と聞いたんです。彼は「そんなのは外交問題になりますよ」と目を丸くしていました。

そのように、日本で起きていることをアメリカという国に当てはめて考えてみることによって、アメリカの学生たちはその異常さに気づいてくれたんです。日本の学生たちも、自分の国で起きていることはアメリカ人にとってはありえないこと、異常なことなんだということを、研修開始から2日間で気づいてくれたんですね。昨日は、慰霊の日の取材で摩文仁に行き、戦争体験者に直接会って話を聞いてきました。今日は、辺野古に行って、ゲート前や集落で1日取材したあとに、この対談に駆けつけました。

金平　なるほど、今の話はとても面白いですね。アメリカ人が沖縄の状況を自分の国に置き換えてみたら、アメリカ人の常識として、理不尽すぎてとても黙っていられないということですよね。それを大矢さんは、日本政府の責任放棄であり、正当な主権を行使していないという構造を、たった2日間で見抜いたとおっしゃったわけです。

今の話との関連でいうと、ホワイトビーチに行って気づかれたと思いますが、アメリカ軍の星条旗と日本の国旗の他に、もう一つ旗が立っています。

大矢　国連軍ですね。

金平　そう。だから国連軍の駐留地でもあるということなんですね。ただ、国連といっても、その意味は表面には現れておらず、ほとんどがアメリカの基地で、そこに自衛隊が入り込んでいる、という構造なんですけれども。

◆戦争に一番近い島々と全戦没者追悼式の違和感

金平　それで、式典自体は見たんですか？

大矢　式典はひめゆりのほうに行きました。午後になって、糸満市摩文仁の平和祈念公園と平和の礎《いしじ》に行きました。

金平　では、オフィシャルな沖縄県の全戦没者追悼式はご覧になっていないわけですね。

僕は6月23日の慰霊の日は、日本にいる限りは毎年必ず、糸満の摩文仁に行っていたんです。オフィシャルなセレモニーをどう受け止めるかはメディアの仕事です。これは今日の「沖縄タイムス」ですが、毎年こんな感じです（紙面を広げる）。一面トップで大きく、戦争の犠牲者を忘れないとか、平和への願いとか、そこで歌われる平和の歌とか、そういう紙面構成になっています。テレビもNHKのアナウンサーが式典の司会を務めて生中継するのが当たり前になっていますが、僕はそのこと自体が実はおかしいと思っているんです。それが当たり前だとみんな思っていますが、報道機関として民放がやったっていいわけです。この式典が慰霊の日の最大イベントなんですが、そういうスタイルができちゃっています。

歴代の知事が、昨日だと玉城デニー知事ですが、何を言うんだろうか。岸田文雄総理がリアルで来たのは2回目ですが、何を言うのか。コロナ禍で来られなかった時はビデオメッセージで、安倍氏や菅氏という元首相もそうでした。でも、それだけじゃないんだろうと、特に今現在という時期はそれでは済まされないのではないか。だって今、日本の中で一番戦争に近い場所は南西諸島じゃないですか。

大矢　はい。石垣、宮古、与那国ですね。

金平　昨日は僕、石垣島に行ってたんです。戦争マラリア犠牲者の日ということで、公式行事は午後3時から中山義隆市長などが出席して行われたんですが、僕が見たかったのはそれとは違って、午後8時から行われた「いのちと暮らしを守るオバーたちの会」など市民が立ち上げたセレモニーなんですが、様子が全然違うんですね。「オバーたちの会」座長の山里節子さん（85）も参加していましたが、石垣の歴史を体現するかのような人生を歩んでこられた方です。

なおかつあそこは、ウクライナ戦争が起きて以降、Jアラートか鳴りっぱなしになっています。PAC3（地上から弾道ミサイル等を撃墜する迎撃ミサイル・システム）が、人工ビーチに設置されていて、ずっと空を睨んでいました。あれでミサイルを撃ち落とせるなんて思えませんでしたが。ところがその横には、僕が見た時には、にっぽん丸という豪華なクルーズ船が停泊していて、海外や本土から来た観光客であふれていたんです。自衛隊は、観光客に迷惑になるからとPAC3施設を数百メートル移動させたんですが、丸見えなのです。僕は正直言いますけど、間近で見ていて嫌悪感を覚えました。

石垣島「いのちと暮らしを守るオバーたちの会」の山里節子さん

（撮影：金平茂紀、2023年6月）

先ほど言ったように、今日本で一番戦争に近い場所は南西諸島だと思うんですよ。本土はもちろん、糸満の摩文仁でも、那覇でも、米軍基地でも、普天間でもなくて、与那国と宮古と石垣だと思いますよ。そこに僕は慰霊の日に行ってみようと、乱暴に決めて行ったんです。そこで感じたのは、平和祈念公園で行われている式典は、ある種の機能は果たしているにしても、一種のセレモニーにしか見えなかったということです。国も県も、これさえやっていればいいんだろうということで、リアルに戦争に近づいていることを、なぜきちんと言及したり、あるいはもっと行動を起こさないんだ、というのが実は正直なところでした。メディアも、ある意味でいうと平和運動をやっている人たちも、平和の礎《いしじ》で県民の思いを伝えることに限定されてしまっているのではないかとすら感じましたね。今考えるべきは、ウクライナ戦争を機に、火事場泥棒的に「戦争のできる国」に総動員し

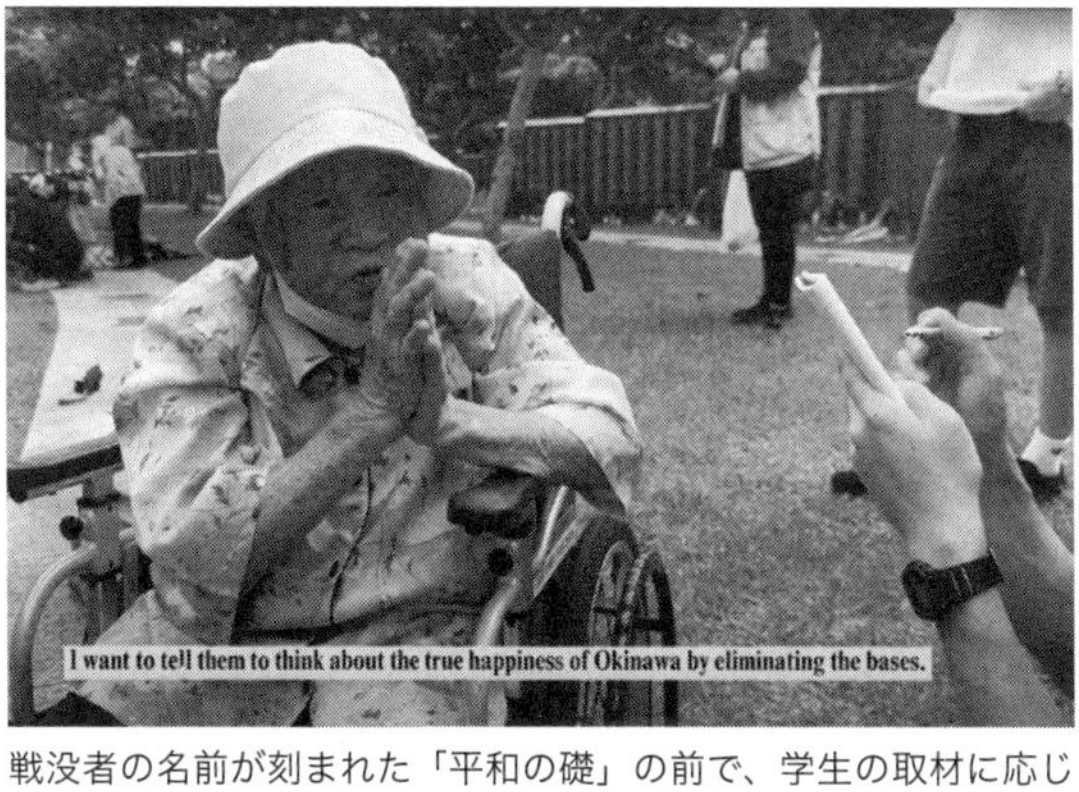
I want to tell them to think about the true happiness of Okinawa by eliminating the bases.

戦没者の名前が刻まれた「平和の礎」の前で、学生の取材に応じる戦争体験者の女性。「アメリカの人たちに伝えたいことはありますか？」と尋ねられると、「基地をなくして、本当の沖縄の幸せを考えてください」と手を合わせた。
（写真は、学生のビデオリポート「忘れられたマイノリティー」より、撮影：アンジェナ・ダサム、2023 年）

ようとしている日本政府のあり方でしょ。

大矢　その国策の最前線が沖縄であるにもかかわらず、6・23はいつもの年のように過ぎていったわけですね。

金平　もちろん式典で玉城デニー知事は言っていましたよ。安保三文書の採択以来、防衛力の強化に対して、県民は懸念を覚えているんだと。でも、南西諸島に自衛隊のミサイル基地を問答無用でつくっているわけですから、もっと踏み込んでほしかったというのが正直なところです。岸田首相に至っては、かつてない安全保障環境になったんだと、言外には「だから君たちは我慢してくれ」といったことを言ってるわけじゃないですか。基地負担軽減を毎年のように言いますが、米軍の基地負担の軽減を図るどころか、主力が自衛隊になって南西諸島のミサイル基地化を進めているわけです。

大矢　現実は日増しに戦争に近づいているということですね。

金平　そのことを昨日は1日、ずっと考えていたんです。沖縄戦から僕らが伝承していかなければいけないことを、残酷な言い方かもしれませんが、昨日のセレモニー的なものも含めて風化していっているのではないか。戦争に近づいているという現実を止める力を僕らは失いかけているんじゃないか、ということです。

◆前線基地化する南西諸島の実態と受け止め方

大矢　私も同意するところがあります。私自身、沖縄の取材の原点は八重山諸島の波照間島で、戦争マラリア取材がスタートでしたから。

金平　前回の対話でも話していましたよね。アルジャジーラ行きがなくなって八重山毎日新聞にインターンとして行き、そこで戦争マラリアという厳しい現実に直面し、その八重山の中でも一番ひどい目に遭った波照間から取材を始めたというのが自分の原点だと……。

大矢　はい。私は、当時23歳で、波照間に8カ月余り住み込んで戦争マラリアの取材をしましたが、沖縄のことを何もわかっていなかったので、6月23日は朝からカメラを回しました。というのは、恐らく島の人たちは、その日、戦争マラリアで犠牲になった家族を想って涙を流したり、お墓参りに行ったりするだろうなと思っていたからです。ところが、みんな普通に生活をしているんですね。それで、自分が欲しかった画が撮れないので、焦ったんですよ。結局、私が一緒に暮らしていた浦仲孝子おばあに、「今日は慰霊の日だから仏壇で、トチメ（島の言葉で祖先に手を合わせること）してくれませんか」とお願いしたわけです。でも、おばあは、笑って「そんなことしないさー」と言ったんです。

その時、やっと気づいたんですね。6月23日というのは、沖縄本島における組織的な戦闘の終了日だと。でも、本島で日本軍第32軍の牛島満司令官が自決しようが、波照間の人たちはいまだに強制移住の真っただ中で、その日以降も何も変わらず、マラリア地獄の山の中での生活を強いられていたわけです。マラリアで次々と倒れて

学生時代、「戦争マラリア」のドキュメンタリーを作るために移り住んだ波照間島で、8カ月間居候させてくれた浦仲孝子おばあ
（撮影：大矢英代、沖縄・波照間島、2011年）

いき、八重山全体で3600人以上が亡くなったんです。なので、八重山の人たちから見れば、6月23日というのは、ほとんど意味を持たない日だったわけです。

それで私は、6月23日で区切る沖縄戦というのは、戦争の実像を伝えていないということに、大学院2年生の時に気づいたんですね。それで、卒業後に沖縄本島で琉球朝日放送の記者になって、最初に慰霊の日の取材をした時は、やはり違和感がありました。もちろん、沖縄のみんなが、その日、犠牲者に祈りを捧げて不戦と平和を誓うというのは大事な意味があります。沖縄戦というあまりに悲惨な戦争で、自分の身内がどこでどんなふうに亡くなったのかさえわからない人たちが多いなかで、6月23日という節目を決めて、みんなで一緒に祈るという日をつくったという背景は、胸が痛いくらいよくわかります。だけど、「6月23日で戦争は終わったんだ」という報道や教育をすることによって、沖縄戦の本当の姿が見えなくなってしまうのではないか、と。

じゃあ、そもそもなぜ沖縄が戦場になったのかをさかのぼって考えてみれば、沖縄に第32軍が来たのは1944年の3月です。当時は、日本軍の要だったトラック島が壊滅するなどの戦況のなかで、沖縄を含む南西諸島を国防の最前線にしようという要塞化が進んでいったわけですよね。

金平　「捨て石」です。

大矢　そして１９４４年10月10日に、沖縄を襲った大空襲、一〇・一〇空襲が起きました。狙われたのは、住民を根こそぎ駆り出して大急ぎで作った日本軍の基地です。現在の嘉手納基地も那覇空港も、２００６年に返還された読谷補助飛行場も、もともとは日本軍の基地でしたが、それらが標的になったのです。私の認識としては、あの段階で、すでに沖縄戦は始まっていたと思うんです。つまり、第32軍がこの島に来た時点で、もう沖縄戦は始まっていた。そして沖縄戦は、６月23日に全てが終わったのではなく、むしろ終わりなきゲリラ戦や爆発的なマラリア感染など泥沼の戦争に突入していった。また、戦争が終わった後も、多くの方々がずっとPTSD（心的外傷後ストレス障害）に苦しみ続けています。波照間のおじい、おばあもいまだに戦争の記憶で苦しんでいる。２０２３年の今になっても、彼ら、彼女らの心の中の戦争は終わっていない。そう考えた時に、沖縄戦の全く違う姿が見えてくるんですよね。

先ほどの沖縄戦がいつ始まったのかという話に戻りますと、今の沖縄を見た時に、先ほど金平さんがおっしゃったように南西諸島でどんどんミサイル基地がつくられている。この状況は第32軍が来た44年だと思うんですね。次に起きるのは、10月10日の大空襲であり、そして地上戦が起きたという歴史を繰り返すのではないかと思います。ですから、今この島で起きていることは、ただ単純に右だ左だといった政治的な思想いかんにかかわらず、歴史的な背景を考えると、あの恐ろしい沖縄戦が再来するのではないかと私は思うんですね。

金平　僕が昨日考えていたこととすごく重なり合うところがありますね。前回の対談で、今日本という国は「新しい戦前」に入りつつあると言ったでしょう。2022年が歴史的な転換点となり、火事場泥棒的に「戦争のできる国」にこの国のありようを変えようとしているなかで迎えた慰霊の日だったものですから、今のお話に繋がっているのです。

与那国町の糸数町長さんの最近の発言にもびっくりしています。「国防なくして国民なし」という言い方で、与那国島にシェルターを早くつくれというのです。シェルターと英語で言っているだけで、防空壕を早くつくれというのと同じです。つまり、島民の生命と安全を守るというのが町長本来の究極的な役割なはずなのに、その人がそういうことを言い出しています。しかも、自衛隊関係者が問答無用でどんどん入り込んで人口の2割近くになりました。そうなってくると、抵抗しようがなくなり、「新たな戦前」との関係でいうと、与那国島はもはや戦中みたいなところに無理やり入り込まされているような印象を受けているんです。宮古とか石垣は与那国よりずっと大きい島ですから、まだいろいろな逃げ場所があるように見えるかもしれませんが……。

さっき言ったように、石垣島は観光客だらけで、自分もその一人であることに嫌気を感じましたが、とにかく泊まるところがないんです。僕らは、取材対象が二人と、カメラマンと僕とディレクターの5人で動いていましたが、5人一緒に泊まれる所がなくて、お金のないサーファーが泊まる民宿みたいなところに、1泊2500円で泊まったんです。そこは、多分掃除とか洗濯はあんまりしたことがなく、歴代の泊まった人の残していったものが山のようにあるところでした。それに、気温が34度とかになっていましたから、暑くてさ。そこには100円入れれば120分動くという硬貨式クーラー機があり、何十年かぶりにそれを使いましたよ。最初はそれを笑い話にしようと思っていましたが、120分すると切れてぶわっと暑くなって、また100円を入れる。するとあっという間に100円玉がなくなるわけですが、両替しようとしても誰も人がいないのでできないんですよ。近所にはお店も何にもない。そういうところまで一杯になっているぐらい、観光客が押し寄せているという状況でした。それを県知事は、インバウンドとか言って、観光客が戻ってきたと喜んでいるわけです。それって本当の意味の豊かさとか幸福な生活のありようなんだろうか、ということを正直考えましたね。

一方で、摩文仁での慰霊の式典には3000人ぐらいが参加して、いつも通りにやられました。去年よりもヤジも少なく、国がやっていることに声も上げない様子で、何か無力感を感じました。それが、後から式典のVTRを見たり、参列した人の言葉を聞いたりした時に感じたことです。大矢さんはその式典会場にいなくてよかったんじゃないですか。

大矢　午後2時くらいから会場に行ったんですよ。既に首相や政府関係者が去った後でしたが、それでも厳重な警戒でしたね。私が最後に式典の取材をしたのが2016年でしたが、あの時とは比べものにならないくらいすごい数のSPで驚きました。

金平　テロ事件があったから、最大規模だと言ってましたよ。昨年7月8日に安倍元首相が殺され、この間は岸田首相の演説現場に爆発物が投げられたでしょう。何かあったら首が飛びますから、警察の威信をかけて厳戒体制を敷いたんでしょう。

大矢　かつて安倍元総理が来た時には、参列者から「帰れ！」とかいった声が上がって、テレビ中継からも聞こえてきましたね。それがないということは、そういう人は入れない状況が作り出されていたということなんでしょうね。

金平　警備のための通行規制とタクシーが集まらないということで、那覇空港に降り立ったお客さんたちが空港のタクシー乗り場に200メートル以上も並んで、ずっと炎天下で待つしかなかったという話ですね。レンタカーも一切ないというんですから、ある種、異様な事態だったんだなと思いました。

大矢　会場近くの駐車場は全部政府関係者用で、高齢者の方々が、遠くの駐車場から杖をつきながら歩いてくるという異様な状況だったとも聞きました。声を上げるのを諦めてしまったというよりも、ものすごい厳戒態勢の中で、沖縄の思いを伝えたい人たちの声が伝えられないような状況だったんではないでしょうか。

金平　横断幕を張るな、みたいなことを言われたようですね。

大矢　午後2時の段階でも、「琉球独立」というプラカードを持っている方々がいましたよ。南西諸島へのミサイル配備の賛否を問うアンケートをしている人たちもいましたね。あとガマフヤーの具志堅隆松さんがいらっしゃってましたね。

金平　具志堅さんは、昨日はずっとハンガーストライキをやってたんでしょう。去年はその周囲からヤジがあがっていたんですがね。今年は防衛予算をこれから5年間に43兆円も使うという国防方針の大転換をやったにもかかわらず、批判的な声が上がらず静かになったというのは何を意味しているのかな。ある種の圧力の強さを肌身を持って実感して、声を上げても空しいみたいなことになったのか、それとも規制されてなかなかできなくなったのか。うーん、その両方だと思います。

◆ダニエル・エルズバーグさんと西山太吉さん

金平　前回の対談でお話しした人のことで変化があったのは、ダニエル・エルズバーグさんのことです。ベトナム戦争に関するアメリカ国防総省機密文書が1971年6月にアメリカ新聞紙上で暴露されたペンタゴン・ペーパーズ事件の当事者ですね。エルズバーグさんはこの6月16日に亡くなりましたが、実は僕らは取材を申し込んでいたんです。

大矢　OKをもらっていたんですか？

金平　いやいや。３月31日にメールで申し込んでいたんですが、なかなか返事が来なくて、それで何度か催促したら、パトリシア夫人から「夫は膵臓がん末期で亡くなりました」と丁寧なお断りのお返事をいただいたんです。僕らがインタビュー取材を申し込んだ直前に国際ネットワークのＣＮＮがズーム（Zoom）でインタビューを報道しましたが、すごく濃い内容でした。これはぜひ日本の視聴者にも何を言っているかを聞いてもらったほうがいいと思って、取材を申し込んだのです。エルズバーグさんは、ペンタゴン・ペーパーズ（米歴代政権のベトナムへの政治的および軍事的関与を記した極秘文書）をまとめた国防総省の分析官の一人でした。しかも、核兵器の配備にあたっては、実際に現地に出向いてその点検作業に当たっていますから、沖縄の米軍基地についてもどういう核兵器がどこに配備されているのかをつぶさに見ていたわけです。また、岩国基地沖に核兵器が秘密裏に配備されたことに対しても、怒りを込めてその事実を暴露しました。そのように、彼は核兵器・核戦争の恐ろしさを知っているから、核廃絶についても積極的に発言していたわけです。

大矢　そうですね。

金平　ベトナムで起きていた戦争の実態を、政府も軍も国民に対して隠し続けているんだ。今の戦争作戦はうまくいっていないということを、歴代の政権は認識していたにもかかわらず、それを国民に伝えようとしなかった。だからペンタゴン・ペーパーズという7000ページの文書をコピーして、ニューヨーク・タイムズに持ち込んだわけですよ。

そのダニエル・エルズバーグさんが最後に言っていたのは、ウクライナ戦争のことです。今のウクライナ戦争は、ベトナム戦争にものすごく似ているというのです。戦争は泥沼になり、こんな非道なことが起きているにもかかわらず、停戦とか休戦について誰も力を尽くそうとしていないではないか、と。これは「quagmire（泥沼）」というベトナム戦争の時によく使われた英語の言葉を使い、2つの戦争には「similarity（類似性）」があると言っていましたね。だから、ベトナム戦争とウクライナ戦争の類似性を指摘して、戦闘行為をやめて一刻も早く停戦協議、休戦協議に着手しなさい、そのためには必死で外交努力をやらなければダメだと。すごく真っ当な発言です。それが、ダニエル・エルズバーグさんが最期の段階で、メディアを通じてアメリカ国民に対して言っていたことなんですよ。僕は、どうしてもそれを日本の人々に伝えたいと思ったんです。それが叶わなかったことが残念で、何で1カ月前にそのことを思いつかなかったんだろうかと、自分に対して「何やってるんだ、お前」という思いがあったわけです。

実は、それに先立つ思いというのがあったからで、それは元毎日新聞記者の西山太吉さんのことです。前回の対談でもお話ししましたが、彼はエルズバーグさんと同様に、沖縄返還に関する国家密約を暴いたわけです。ところが、その密約情報の入手の仕方が反モラル（「情を通じた」という表現）だったという情報を検察官が編み出して、僕らの仲間であるべき週刊誌メディアなどがそれを取り上げた。それで、スキャンダルの話にすり替えられたじゃないですか。彼はそのことについての制裁は嫌になるほど受け、新聞社を辞めました。だけど、ジャーナリストとしては最後まで、国家機密が国民をだますための手段として使われたことに対して、「本来ならば説明責任を果たすべき公務員の責任回避であり、機密指定扱いにされていることはおかしい」と言い続けたじゃないですか。エルズバーグさんが最後まで言っていたことと重なるわけです。

大矢　そうですね。

金平　ペンタゴン・ペーパーズ事件のエルズバーグさんと毎日新聞で沖縄密約を暴いた西山太吉さんの扱われ方が、なぜこんなに違うんでしょうか。僕らのジャーナリズムという仕事でいうと――それはアカデミズムも同じなんですが――情報とか知識とか学問の成果とかというものは誰のものなのか、という話ですよ。それは、誰によって使われ、誰と共有されることによって役立つのかというと、国家公務員やメディアが扱っている情報というものは、「彼ら」のものではなく国民のものであり、そこで暮らしている市民のためのものでしょう。それが明らかにされずに、なぜ改ざんされたり、隠蔽されたりしなきゃいけないのか。ここのところずっと起きていることは、そればっかりじゃないですか。

大矢　それに対して国民が怒らないということが、大きな問題だと思うんですよね。もちろん怒っている国民はたくさんいますが、その怒りが選挙や運動に反映されない。なぜ自民党が大勝し続けるのか、私にはわからないんですよ。アメリカから日本という国を見ていていつも不思議なのは、国民の多くが怒っているはずなのに、なぜ状況が変わっていかないのかということです。それは、アメリカで、市民が社会を変えていくという、民主主義のお手本のような日常を見ているからだと

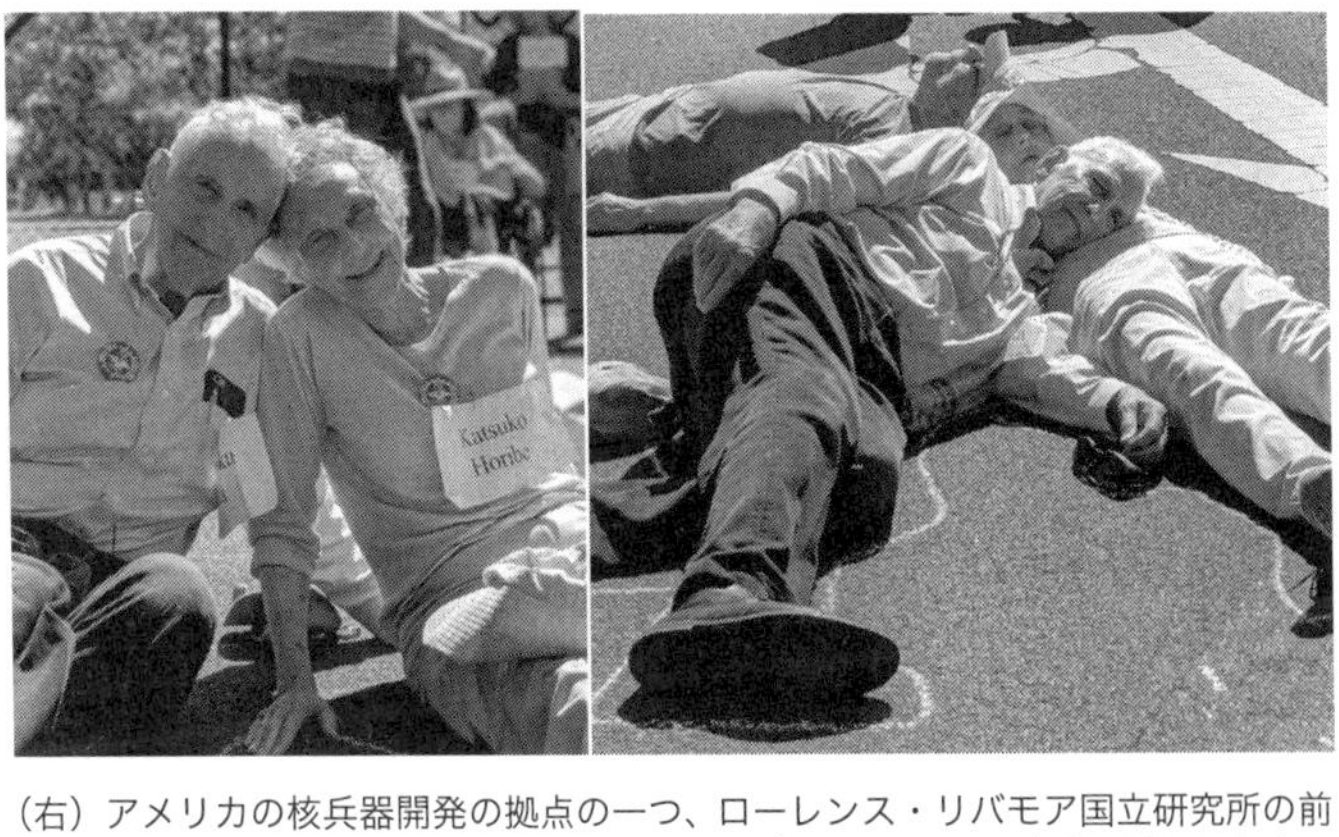

（右）アメリカの核兵器開発の拠点の一つ、ローレンス・リバモア国立研究所の前で、核兵器廃絶を訴え「ダイ・イン」をするダニエル・エルズバーグさんと妻のパトリシアさん。（左）洋服には、それぞれ原爆の犠牲者の名前が書かれている。
（撮影：大矢英代、カリフォルニア州リバモア、2019年8月6日）

思うんですね。

先ほどのダニエル・エルズバーグさんのお話ですけど、私が初めてお会いしたのは2019年8月6日、広島の原爆投下の日に、カリフォルニア州のローレンス・リバモア国立研究所の前でした。そこで核兵器に反対するアメリカ市民の集会があると聞いて、取材に行ったんです。そしたら、ダイ・イン・プロテストをやっていたのがダニエルさんと妻のパトリシアさんだったんです。

金平　ですから、あれだけの人であっても偉そうにしない、権威をかさにきないんですよね。ダイ・インというのは直接行動じゃないですか、道路に寝そべるんですから。そういうところはアメリカの知識人、インテリってすごいなと思いますが、それで平気で拘束されたりしますよね。それでも逮捕されることは名誉なんだ、自分の

核兵器廃絶を訴えてローレンス・リバモア国立研究所の前に集まった市民。白線を越えて敷地内に入った市民は治安部隊に拘束されていった。
（撮影：大矢英代、カリフォルニア州リバモア、2019年8月6日）

信念を貫くことのほうが大事だ、という考え方が、市民社会で共有されているじゃないですか。日本って、警察に逮捕されたらアウトだよ、みたいな空気がありますよね。かつてのSEALDs（自由と民主主義のための学生緊急行動）の運動をやっていた学生たちでも、一部の人たちは今現在も社会に対して傷を負い、トラウマを抱えて、名前を名乗るのもはばかられるようになっています。何という違いなんだろうと思いますね。

大矢　そうですね。

金平　さっきの日本の選挙について言っても、投票権というのは、僕らの選択権行使の唯一の仕方だということになっていますが、必ずしも国民の意思が正しく反映されているとは言えません。お金や利権も縁故も動きますしね。でも、それが正しく機能しなくなった時には、それ以外の方法ってあるんじゃないの。例えばリコールとか、内部告発＝Whistleblowing（内部から不正などを暴きやめさせる行動）とか、もっと広い意味では市民運動とかデモとか当たり前のように行われることです。

大矢　座り込みなどは、辺野古では普通に行われていますが……。

金平　僕は、日本で最初にダイ・インが行われた現場に居合わせたことがあるんですね。それは関西電力の本社前でした。そのころ日本ではダイ・インという言葉がまだない時代だったんですが、大阪の反原発運動をやっていた人たちが始めたんです。みんなが道路に寝転がったら警察官は一人ひとり排除しなければいけない。無抵抗だけど寝ていることには意味があるから、傷つけないようにして運び出さなきゃいけないから大変なんですよ。海外のニュースを見ていて、そのやり方は有効だなと僕も思っていました。

大阪のデモの現場でよく会っていた人に和田長久さんという人がいました。もう亡くなられたんですが、ある日「和田さん、ダイ・インというのを聞いたことがあるんですけど」といった話をしたら、「ならやりましょうか」という感じになって、始まったんですよ。最初10人ぐらいが寝たら、それをみんなが真似て、結構な数の人が道路に寝ちゃって、警察官もそれは見たことのないものだから戸惑っていました。

大矢　どうしていいかわからなかったんでしょうね。

金平　最初は、気分が悪くなったんじゃないですか、みたいな感じだったんですが、あまりにも多くの人が寝ちゃうんで、「ああこれはデモンストレーションの新しい形なんだ」と気づき始めて、「直ちに起き上がって移動してください。ここは道路です」みたいなことを言い出しました。それが日本で最初のダイ・インだったんです。

大矢　エルズバーグさんがダイ・インをしていた時に思ったんですが、ダイ・インというのはすごいインパクトがあるんですね。死んだ人のふりをするわけですから。そして一人ひとりに白線を引いていくわけですよ。そうすると、みんなが排除された後には大量の人型が道路に残るという、非常に有効的な抗議形態でしたね。

ブラック・ライブズ・マター（BLM）では、若者たちを中心にストリートアートや音楽などを「抵抗の武器」とした運動がみられた。

（撮影：大矢英代、カリフォルニア州オークランド、2020年）

金平　ブラック・ライブズ・マターという運動がありましたよね。アフリカ系アメリカ人に対する暴力や構造的な人種差別に対する抗議運動ですが、その時に道路や建物の壁にみんなが絵を描いていたじゃないですか。それが格好いい絵なものですから、「消すのはもったいないよな」といった感じになってそのまま残り、それが名所になったりしましたよね。

だからデモンストレーションの形というのは、単に行進して声を上げるだけでなく、楽しくやったり、「ナニコレ?」といった工夫をしてやったほうがいいのではないかと思います。日本人って真面目な国民性なのかもしれませんが、隊列を組んで、シュプレヒコールを唱和してくださいというのが一般的ですからね。

そして、西山太吉さんとの関係でダニエル・エルズバーグさんの話をしましたが、彼がウクライナ戦争の和平に関して、チョムスキーなどと声明を出しましたが、すごく重要ですね。日本でそれはごく少数派で、そういう声を上げると叩かれるみたいな厳しい状況になっているのは残念なことです。

◆G7広島サミットの意味すること

金平 先日話したことと今日の間にあった大きな出来事のもう一つの話をしておきます。それはＧ７広島サミットです。僕は、取材というよりも見物に近いような感じでそこに行ってきましたが、広島でやったというので大変な騒ぎだったですよ。しかもゼレンスキー・ウクライナ大統領が乗り込んできた。オンラインでとＰＲされていましたから、「わざわざ来たぞ」みたいな感じで、メディアショーとしては多分ＷＢＣ（ワールド・ベースボール・クラシック）と大谷翔平選手の次に盛り上がったイベントなんじゃないでしょうか。だけど僕は、広島という場所で発せられたメッセージや政治的な意味を考えた時に、とても残念だと思っているのです。

　僕が記者活動を始めた新入社員の頃、先輩から「お前は広島や長崎の原爆に興味はあるか」と聞かれ、「あります」と答えたら、「ちょっとついて来いや」と言われて命じられたのが、原水爆禁止運動担当の記者だったんですよ。８月の６日、９日に広島と長崎に行って、慰霊式典や反核運動を取材した記憶があります。当時は被爆者の人もたくさんいましたし、広島の原爆資料館の当時の

ゼレンスキー・ウクライナ大統領も参加したＧ７広島サミットの首脳たち（2023 年 5 月 21 日　官邸公式映像より）

館長は高橋昭博さんという人で、ご自身が被爆者だったんですが、その人の話はすごく印象に残っています。原爆投下についてアメリカ側は、「あれによって救われた人命があり、正当なんだ」という言い方をしてますよね。

大矢　特にアメリカ兵の命が救われたという言い方です。百万人とかいう根拠のない数字が独り歩きしています。

金平　もちろん、日本のそれまでの行為からして、連合国側が核兵器を使うことを正当化する理屈もあったと主張する人々はいるのでしょうが、今でも核被害は続いています。「ヒバクシャ」という言葉がグローバルになり、核兵器は使ってはいけない兵器だということは、日本人が広島や長崎から初めて声を上げたからこそですよね。被爆者たちの運動が実って、核兵器禁止条約は124の国と地域が批准するところまで来ているわけです。アメリカや核保有国はどこも批准していないし、日本も批准しませんが、核兵器が持っている非人道性というのは、今に至るまで変わっていないと思います。だから、いかなる国もどんな場合であっても、核兵器は使ってはいけないんだ、ということをちゃんと言わなければいけないはずです。

その点で、サミット初日に発表された「核軍縮に関するG7首脳広島ビジョン」は、核軍縮に特化したG７としての歴史上初めての文書だと、岸田首相はドヤ顔で自画自賛していましたね。しかし文言を詳しく読むと、核兵器の抑止力としての存在を是認している、ひどいと思いますよ。それを広島から発したということの意味を検証すべきなのに、残念ながら（地元の西日本新聞などを除いて）日本の主要メディアもそれをしていません。主役が被爆者からゼレンスキーに移ってしまい、その片棒を担いだのは僕らテレビだったり、新聞だったりしたわけです。そうした構造については、誰かがきちんと整理して言わなければいけないと僕は思いますね。

大矢　アメリカのメディアもそうでしたよ。広島でのサミットは、まさにロシア糾弾に特化した場でした。そして、日米安保と自衛隊の強化によって東アジアの安全保障体制が守られ、アメリカの安全もより守られるという視点での報道ばかりでしたね。広島という土地が、核の平和利用などというまやかしに利用され、そのために日

G7 サミット厳戒下の広島
（撮影：金平茂紀、2023 年 5 月）

本が広島という土地を進んで提供するという構図になってしまいました。

金平 そのための「貸座敷」に広島が使われたんですね。実は、サミットの2日前に、元広島市長の平岡敬さんらを招いてシンポジウムをやったんです。講談師の神田香織さんとか、被団協（日本原水爆被害者団体協議会）元理事長の故・森滝市郎さんの次女である森滝春子さん、奈良大学教授の高橋博子さんらが参加しました。次の日ではG7サミット警備のいわば「戒厳令」が敷かれて集会は事実上できませんでしたから、ギリギリの時点だけれどもう我慢できないという思いでやったんです。その時に平岡さんは、「広島を貸座敷として使うのは耐えがたい」という言い方をして、サミットは戦争反対、核兵器廃絶の場にしなければいけないんだと訴えました。それが、やはりというか、最悪のシナリオになってしまったのは残念だなと思いますよ。

大矢 海外から日本という国を見ていると、日本は第2次世界大戦でアジア諸国を侵略した加害者の姿が際立って見えます。一方で、沖縄でも広島・長崎でも取り返しのつかない犠牲を払い、大きな痛みを伴って教訓を学びとった歴史があります。沖縄の人たちが得た教訓は、「軍隊は住民を守らない」ということです。広島・長崎の人たちが学んだことは、「核兵器は絶対に使ってはいけない」ということです。そして、日本という国が学んだのは、「国際紛争の解決のために軍隊・武力は使いません」ということなんですよね。それは、日本だけの歴史的教訓ではなく、人類の教訓のはずです。

金平　それを全人類のための教訓にしたいと思うから、僕らは広島とか長崎に来ているんです。去年までは、広島とか長崎で発せられる市長による平和宣言の中に核兵器禁止条約についての言及があるかどうかといったことを、新聞やテレビがニュースのトップにしていたじゃないですか。今度のサミットはそれどころじゃないですよ。

これは外務省の仮訳ですけれども、「我々は、ロシアに対し、同声明に記載された諸原則に関して、言葉と行動で改めてコミットするように求める。我々の安全保障政策は、核兵器は、それが存在する限りにおいて、防衛目的のために役割を果たし、侵略を抑止し、並びに戦争及び威圧を防止すべきとの理解に基づいている」と言っているんです。これは2022年1月3日に発出された「核戦争の防止及び軍拡競争の回避に関する五核兵器国首脳の共同声明」を踏まえたものですが、これって完全に核抑止力を是認している文言でしょ。ここが今度のサミットの一番大きな問題で、極論すると、広島が広島でなくなったというくらいの大きな転換点なんです。

ですから、今年の広島や長崎の日に、市長は何と言うんだろうかと思いますよ。G7サミットの共同声明で抑止力を認めちゃった後ですから、それを注意深く見なければいけません。そういうことに言及した人や報道はなかったと思ったら、実はあったんです。それは、地元広島で出している中国新聞です。これで「広島ビジョン」と言えるのか、被爆者に対する冒涜じゃないかと、強い言葉で記事にしており、さすがだと思いました。東京の新聞は全て、そこまでは書いていませんでしたから。ましてや原爆の投下責任について、これまでは謝ってほしいと言っていた人たちがいたんですが、今はそれどころではないですよ。

大矢　2016年に、当時のオバマ大統領が広島を訪問した時には、原爆の投下責任はおろか核兵器廃絶に向けた具体的政策が語られなかったという批判がありましたね。あれからわずか7年で、ここまで状況が悪化してしまったということですね。

金平　もう一つついでにいうと、ウクライナのゼレンスキー大統領が最後に行った記者会見についてです。僕は記者登録をしていなかったので会見場には入れませんでしたが、登録していた記者は誰でも入れて、質問する人も行列ができるという、アメリカと同じ民主的な運営でした。日本のように、あらかじめ質問者が決まっていて想定問答ができているみたいなやり方とは違うんですよ。

そこで、ゼレンスキー大統領に対して地元のＲＣＣ（中国放送）の記者が質問したんですが、それが後からネットの一部で炎上したわけです。当たり前のことを聞いていたのに、お前は何て失礼なことを聞くんだということで炎上するということ自体が、今の日本のありようを象徴していると思いますがね。ＲＣＣの記者の質問はこういう内容でした。

「広島のテレビ局ＲＣＣです。広島に来られて原爆資料館をご覧になったわけですけども、その中で印象に残った資料などがありましたら、教えていただきたいと思います。もう1点は、広島の被爆者の方の中には、ゼレンスキー大統領にとって、今回のサミットで国を守るための兵器などの支援を要請することも大事なのかもしれないが、せっかく被爆地広島を訪れているんだから、もっと戦争を終わらせるための和平に向けて話し合いをしたほうがいいのではないかと、広島で行われるサミットで違和感があるという声があります。その声にどう答えますか」

まともでしょ。その質問に対するゼレンスキー大統領の直接の答えはなくて、資料館で見た被爆地の写真のこ

G7「広島ビジョン」に抗議するサーロー節子さん
（撮影：金平茂紀、2023 年 5 月）

とを言っていました。ウクライナで激しい戦闘が続くバフムトと似ているという答えでした。

大矢　当たり前のこと、聞くべきことを聞いただけという感覚がするのは、私がアメリカにいるせいでしょうか？

金平　アメリカにいるせいかもしれませんね。当たり前のことをすごく丁寧に聞いているのに、「この記者は何だ、せっかく戦争をやっている国からゼレンスキーさんに来ていただいたのに、空気を読んでない」といったことを言う学者もいたんです。「戦前的」というのはそういうことなのかな、という気がしました。こういうことを聞くこと自体が叩かれるような状況は、僕はとてもよくないと思うから言ってるんですよ。被爆者で反核運動に携わるサーロー節子さんも、記者会見で、強烈に苦言を呈していましたね。

大矢　全く理解できないですね。一般の市民が感じている疑問や不安を代弁するのが、私たちジャーナリストの仕事じゃないですか。当たり前のことを当たり前に言っている人を叩くという現象自体がおかしいんですよ。私の尊敬する友人でもある東京新聞の記者の望月衣塑子さんが、記者会見で粘り強く聞いて頑張っている姿で有名になりましたが、わからないことをわかるまで聞くってジャーナリストとして当たり前のことですよね。それを批判する今の日本の現状が異常なんじゃないでしょうか。

金平　異常な中にいて異常だと言う人は異常だと思われる。僕が尊敬していた筑紫哲也さんが言っていたように、少数派であることを恐れないことが大事です。今のように、みんなが多数派に寄り添い、少数者の声に耳を傾けず、多数派じゃないと怖い、勝ち組にいたいというのは、まさに異常です。人と違っているのが怖いという傾向は、特に若い人に多いような気がして心配ですね。人は一人ひとり違うと思うし、自分の言い方を人に合わせるということももちろんありますが、全体の和とか組織がまずあり、国家があって初めて国民があるといった傾向は、さっきの与那国島の糸数町長の「国防あっての国民」みたいな言い方と共通していますね。

大矢　八重山の戦争マラリア体験者の方で、潮平正道さんという方がいらっしゃったんですが、私が取材する中で一番心に残っている言葉が、こういうことでした。

「国というのは、空っぽの領土ではなくて、そこには必ず国民がいる。国は、そこに民がいて初めて成立するものです。ところが、戦争が始まろうとする時に、国は民を最初に犠牲にしようとする。民よりもまず国ばかりを大切にしようとするのは、危険です」

２０２３年という年になって、私はその潮平さんの言葉を何度も思い起こしては、考えさせられているんです。先ほど申し上げたとおり、２日前に嘉手納基地に行って、広報室長のジェフリーという中佐と記者会見をやりました。その時に印象に残ったのは、彼が語った米軍の新しい作戦方針「ＡＣＥ」（「迅速な戦力展開」という意味の「アジュル・コンバット・エンプロイメント（Agile Combat Employment）の頭文字をとったもの）というものです。「米軍基地はもはや攻撃を避けられない施設だということをアメリカ軍は理解している。これから米軍が目指すのは、移動可能なモビリティを重視した軍事機能です」などと言っていました。具体的には、嘉手納基地など主要な米軍基地に弾薬や戦闘機などの基地機能を集中させるのではなく、30カ所以上の場所に基地機能を分散させることによって、敵の攻撃を分散させることができる、というんです。記者会見中、米軍側の通訳は「敵」と訳していましたが、彼は明白に「China（中国）」と名指

かつての戦争マラリアの強制移住地で、地元の子どもたちに体験を語る美術家の潮平正道さん。絵は、潮平さんが記憶を元に描いた、マラリアで死んだ孫を埋葬地へ運ぶ祖父の様子。潮平さんは、2021年に88歳で亡くなるまで八重山への自衛隊配備に反対し続けていた。（撮影：大矢英代、沖縄・石垣島、2010年）

しで言っていました。

金平　通訳が気を遣ったんだな。

大矢　その前日に、普天間基地でも同じような説明を受けましたが、海兵隊は、敵国を「enemy（敵）」とか「foreign country（外国）」という言葉でぼかしました。もちろん中国を意識しているのはわかっていましたが、明確に「China」と言ったのは嘉手納基地の広報官が初めてでした。しかも「米軍基地は、もはや敵の攻撃対象から逃れられない」というので、私も学生も驚いて、質問しました。「嘉手納基地は攻撃の対象になるという認識でいいんですか」「最悪の事態とはどのような事態なんですか」と。それに対して、広報官は「これは機密に関わることなので詳しくは言えません」と答えました。学生の一人が「じゃあ、基地の周りで暮らしている住民はどうなってしまうんですか」と聞きました。それに対し

米軍のオフィサーとの記者会見に臨む、早稲田大学とシラキュース大学の学生たち。事前の質問提出も求められない、鋭い質問が飛び交うアメリカらしい記者会見は、日本政府の記者会見とは雲泥の差があった。
（撮影：長谷川宏、沖縄・海兵隊普天間基地、2023年6月）

て、広報官はこう断言したんです。「沖縄の人たちの安全や命を守るのは、沖縄県や防衛省の仕事であって、米軍ではない」と。私たち米軍は軍事作戦に全力を注ぐので、沖縄県民のことは日本政府がやってください、ということです。

言ってしまえば、それは当たり前のことを当たり前に言っただけなんですね。そもそも米軍は、日本を守るためにここにいるわけではなく、もともと第2次世界大戦が終わった後、共産圏の最前線にある日本列島を米軍基地化することによって、アメリカの国益とアメリカ国民を守ろうとしたわけですよね。アメリカの国益のために今日現在もこの地にいるわけです。けれども日本人は、それをいいように勘違いして、アメリカをまるでピンチの時に守ってくれるスーパーマンのような扱いに勝手に押し上げ、神格化してしまったわけです。米軍基地での2日間にわたる記者会見の様子は、記録班の学生たちがビデオカメラで撮影したんですが、米軍側は「会見内容はオフレコでも何でもなく、公表されているデータなので好きなように報道していいです」とも言っていました。問題は、米軍がいれば安全だと勝手に思い込んでいる日本人の側にあるのです。

先ほどの金平さんの「防空壕をつくっています」という話もありましたが、じゃあ米軍が想定している最悪の事態が実際に起きた時に、沖縄の人たちどうなってしまうんですか、と思うじゃないですか。米軍は住民を守らないと断言しているわけですから。私たちは、沖縄戦の教訓に立ち返らなければいけないと思うんです。沖縄戦の時も同じ方針で、日本軍は皇土を守るのが任務で、住民保護や救護はそもそも軍の作戦に入っていなかった。沖縄県民の安全や命は、沖縄県や自治体が守ってください、ということでした。本来は一番に守らねばならない国民の命と安全への責任を地元の行政に丸投げした沖縄県民のです。その結果、沖縄戦では12万人の沖縄県民の命が奪われ、日米合わせて20万人の犠牲が出たわけです。私はその歴史がまた繰り返されるのではないかと、恐怖をもって感じるんです。この本のテーマでもある「新しい戦前」の始まりというのを、今ほど感じたことはありません。

金平　さっき大矢さんが言っていた潮平さんの画文集を見ましたけど、感受性豊かな時の記憶ですからすごく説得力がありました。防空壕を掘っている絵とか、マラリアを媒介する蚊を追い出すために薬草のフーチバを焚いているがそれで罹患者

故・潮平正道さんの画文集『絵が語る八重山の戦争　郷土の眼と記憶』（南山舎）から

が治るはずがないという場面とか、日本軍がいるところには必ずあった慰安所の絵などです。石垣島事件という、海軍警備隊が捕虜となったアメリカ兵3人を殺害し、アメリカ側の裁判で41人が死刑判決を受けたという話も生々しく伝えていました。今大矢さんが言われたように、国という器の中には民がいるが、民が空っぽになっても器さえ残ればいいという考え方ですよね。例えて言うと、豪邸があって、そこに住む人が一人もいなくなっても豪邸さえ残ればいいということです。これって、主客が転倒して、国があって民はその部品であるみたいな考えですから、何のための国家なんだと思いますね。

大矢　もっと言えば、その豪邸を守るためには、そこに住んでいる人が邪魔になることもある、という考えですよね。

金平　攻撃を受けるのは基地という存在の持って生まれた宿命なんだ、それに対処するには危険を分散させる必要がある、という米軍の考え方はすごく合理的ですね。核兵器だって、1カ所にとどめておくより常に移動させたほうがいいわけです。バイデン大統領も、広島サミットの会場に、核兵器を起動させるボタンを入れた通称「フットボール」という鞄を持ちこんで来たんですから。「合理的」だという言い方についていうと、何にとって合理的かといえば、軍の作戦上合理的だという、主語がいつの間にか軍になってしまっています。しゃべっている広報官の「軍としては」という主語がいつの間にか「我々」になっている。つまり、我々というのは国民とか市民じゃなくて軍なんですね。

同じようなことを思い出しましたが、イラク戦争で米軍が誤爆をしたときに、広報官が「コーラテラル・ダメージ」(collateral damage)と言ったんです。それは直訳すると「付随的被害」で、戦争にコーラテラル・ダメージはつきものなんだということです。付随的被害だと言った瞬間に、その誤爆は正当化されてしまうんです。例えば結婚式のお祝いとかをやっていたところを誤爆しても、これはゲリラが潜んでいたかもしれないからやったんだとか、後から言い訳するんですが、空爆するとそこにいた全員が一網打尽に死亡するわけですから言い訳にもなりません。

基地機能を分散させることによって、その周辺にいる人たちのダメージについては我々が全くあずかり知らぬことだ、という責任回避で、そこの設置者の負うべき責任が、いつの間にかウヤムヤになっています。原発事故の時もそうで、放射線被害者が出ても、我々は事業者であって、周りにいる人たちの放射線被曝は関係ない、といった論理が普通にまかり通っています。僕が呆れたのは、東京電力の弁護団が「放射能は無主物(=所有者のないもの)だ」と主張して、放射能汚染の賠償責任から逃げ出そうとしたことです。僕らの国にはsocial justice(社会的正義）という観念はないんでしょうか。

◆自治・分権の不在、そして自由の後退

大矢　日本において、地方自治という言葉が形骸化してしまっているということを、３年ぶりに沖縄に来てすごく感じるんですよね。アメリカの大学生たちがショックを受けていたのは、日本政府が自国民である沖縄の声を無視し続けているということでした。沖縄という日本本土からは離れたマイノリティーの島に米軍基地を押しつけて、あとは頑張ってね、グッドラック、と70年以上やってきた結果が今なんです。それは「自治」という概念が確立したアメリカの学生たちにとっては、異様な状態だということです。アメリカには、それぞれの州に州法があって、自分たちの自治が認められており、その集合体としての合衆国には連邦法が別にあるわけです。どちらの法律が上にあるというわけではなく、二元性が認められているのがアメリカの特徴ですよね。沖縄が抱えている状況は、日本の民主主義や地方自治が機能していないということの最たるものだと思います。アメリカの学生たちが、「日本政府は住民の声を知っている

はずなのに、なぜその声に応えてアメリカと協議をしないんですか」という疑問を私に突きつけましたが、それは当たり前の発想なんですよね。

金平　アメリカにとっては、分権とか自治という考え方は常識ですが、僕らの国ではそれらは全て輸入されたものです。逆にいうと、僕らの国は中央集権で、東京の霞が関や永田町がものを決めることが当たり前になっていて、地方に権限を分権する自治は制限されています。沖縄県でいうと、補助金などの財源は、財務省の金庫にあって、そこからいかに予算を引き出すかが、地方から選ばれた政治家の役割のような構造になっています。それって、江戸幕府の下に譜代とか外様を格付けして支配する構造と似ていませんか。沖縄などの「迷惑施設」があるところは、譜代並みの扱いで特別お前たちに分け前を授けてやろうといった感じです。大阪はまた特別で、反江戸ですから、今は維新の会の天下のようになって、それがあたかも自治のような様相になっています。それは本当の意味の自治とは違って、権力を分散するという自治の概念は僕らが勝ち取ったものとして根付いていません。

分権とか自治という考えは輸入したからすぐできるものではなく、根付かせる努力をやっていくしかありません。例えば、自分たちの地域とか社会、組織や企業のあり方も、それとよく似ていますよね。実態は中央集権とかトップダウンで、下から積み上げていくボトムアップじゃないでしょう。スーパー・ヒーローみたいな人がいて、そこで決めてくれないと困るんだよと思っている。本来は働いている人たちが一番偉いのに、自分たちが自立した個人として、生まれながらにして持っている権利を行使できない。憲法や教育基本法にしても、世界人権宣言とか難民条約にしても、そこにうたわれているような権利は、敗戦直後には実現可能な理想的なものとしてあったはずです。それは押しつけだとか言う人もいて、何を言っているんだ、そんなものは現実とは違うんだといった形で、どんどん骨抜きにされてきました。権力を持っている人が上から世の中を動かしているというのが、残念ながら、今の日本の姿でしょう。

そういう力が働いていくと、とてつもない矛盾に直面していくことになります。1億総中流化などと言われた時期もあり、当時が日本で一番恵まれていた時期だったかもしれません。高度経済成長を成し遂げ、カルチャーとか市民文化が育ったのもそういう時期でした。僕なんかはそのど真ん中にいましたから、そういう時に育まれた文化は、坂本龍一さんなんかもそうですが、今でも好きで引きずっています。恐らくそういう時代って、戦後間もなくから結構な時期まで続いていたと思うんですよね。それが、今の時代は新自由主義が進んで格差が大きくなり、教育だって権利として受けるのではなく、いい学校やいい企業に入るなど何かを得る「手段」みたいになっています。だから今の子どもたちはかわいそうだし、よくわかりませんが、本当の意味で学校が楽しいと思ったことってないんじゃないでしょうか。

大矢　学校生活に余裕がないという印象はありますね。例えば、最近の大学生って本当に忙しい。とにかく授業を詰め込んで、授業が終わるとすぐバイトに行ったり。でも、旅行に出かけたり、映画を観に行ったり、本を買ったりするお金がない。そういう経済的に厳しい状況の中で学生時代を過ごして、大学を卒業したらすぐに就職をして稼がないといけない。私自身もそんな忙しい学生の一人でしたが、最近の学生は、なんだか心に余裕がないというか、すごいストレスを抱えて生活しているという印象があるんですね。

それから、私は時々、早稲田大学や明治学院大学などに講義に呼ばれるんですが、学生たちに「私は日本生まれ日本育ちですけれども、ＱＡＢ（琉球朝日放送）を経由して、今はアメリカで仕事をしています」という話をすると、学生たちから最初に来る質問は大体決まっていて「アメリカで仕事をしていて怖くないですか」というものです。最初はかわいいなって思っていたんですが、あまりに何度も「怖くないですか」と聞かれるので、これはちょっと異様だなと。海外と聞いた時に感じるのが、楽しさや冒険心やワクワクするような感覚ではなくて、恐怖なんですよね。日本という小さな島国の外の状況は、何か恐ろしい場所のように見えているのかな、という印象が私の中であるんですね。

金平　それは自分がいる環境が投影しているんではないですか。「怖くないですか」というのは、恐らく自分が周りを怖がっていることの反映だと思いますね。大矢さんと僕は、たまたま外国を知っていますが、日本国籍を捨ててまで向こうの人にはなかなかなれないですよね。日本人は特にそうで、コリアンとかチャイニーズは、ワンウェイ・チケット（片道切符）で行って、そのままその国の人になってしまうことも多い。そうした決意で行くので、馴染むのも早いんです。日本人は、いつ帰れるのかと思いながら指折り数えてじっと待っている感じで、付き合いも日本人の中だけの狭いコミュニティに閉じこもる、それって日本人の特徴ですよね。よく向こうでは、国民性や民族性を込めたエスニックジョークみたいなのをやるじゃない？

大矢　はいはい。

金平　日本人ってものを決める時に必ず、ちょっと待ってと言って本社に電話をし、お伺いをたてるみたいなところがありますね。僕はたまたまモスクワとかニューヨークやワシントンに暮らした経緯がありますから、日本はなかなかいい国だと思うし、みんな勤勉だしね。ところが今の若い人たちは、なぜこんなにこわばったことになっているのかなという思いがあって、かえって「戦前的」とはどういうことなのかなということを考えたほうがいいんじゃないかと思っているんです。

大矢 そうかもしれませんね。

金平 「戦前的」ということの特徴って、一つは自由という考え方が奪われていくことだと思うんですよ。「今はどういう状況だと思っているんだ」とか、ひどいのは「貴様それでも日本人か」みたいな言い方ですね。ひと昔前はよほど自由で、自由に言いたいことを言うような社会だったのに、なんでこんなに不自由になったんだと思うわけです。自分たちのほうからどんどん自由を差し出しているような気がしてしょうがない。みんなが周りを見ながら怖がっているといった印象ですね。自由が奪われていくというのは、「戦前的」というものの一番の特徴じゃないかなと思います。

大矢 どのあたりからそういう変化の兆しを感じ始めましたか？

金平 そのことに気づいたのは、この間亡くなった坂本龍一さんが言っていた言葉でした。2009年に忌野清志郎さんが亡くなった時に、二人でラジオの追悼番組をやったんです。その時に、坂本さんが、「清志郎が死んだらみんなロックの神様のように持ち上げているけども、それを言うんだったら、なんで彼が必死にたたかっている時にちゃんと支持してくれなかったんだよ。彼が言論の自由の大事さとか原発は危ないといったことを一生懸命歌っている時は無視しておいて、死んでから持ち上げてもね」と。

そして「僕も清志郎が一番言いたかったこととときっと同じ思いですが、なんで日本がこんなに言いたいことを言えない不自由な国になっちゃったんだろうな、もっと言いたいことをそれぞれの立場で言いましょうよ」って、坂本さんが発言したんですよ。今になってこの言葉の重さに圧倒されますね。

その自由が奪われていくのは、恐らくこの10年ぐらいからではないでしょうか。長期政権の安倍政権、それを継いだ菅政権、背後霊がついているみたいな感じの岸田政権の下で、失われた一番大きなものは自由です。言論表現

忌野清志郎について語る坂本龍一さん
(2009年12月21日)

の自由、報道の自由、結社の自由といったものがどんどん失われ、日本人が内向きになっていった。統制が強まっていくのと反比例するように、沈黙が広がっていったんです。

◆変容するジャーナリズムは誰のためのものなのか

金平　僕らのメディアでいうと、萎縮し御用化していって強いものに付こうというメディアと、なんとか筋を通して頑張ろうというメディアに、二極化しているでしょう。

つい最近のことで、僕らのメディアがダメになったことを突きつけられたのは、旧統一教会の問題です。一国の元首相の安倍さんが撃たれて死んだ原因は、統一教会というものの存在だったというのは撃った本人が言っていることですよね。安倍さんのおじいさんの代までさかのぼるわけですから、長期政権を担っていた政権与党と深く癒着していて、日本の政策決定に深い影響を与えていたわけです。スパイ防止法とか、軍事大国化とか、戦前的な家族観を維持するとか、教育に対する介入とか、みんな統一教会の影響が大きい。それがきちんと清算しきれていません。統一教会問題は終わったみたいになっていますが、何を言っているんだと、まだ全然明らかになっていないじゃありませんか。

大矢　点と点が繋がった瞬間でしたよね。

金平　近々の話でいうと、これもまたすぐ消えてしまうかもしれないことを恐れていますが、ジャニーズ事務所の男子に対する性加害の問題です。あれだって実は、みんなが暗黙の裡《うち》に知っていたような事件です。1999年に週刊文春がキャンペーン報道をやりましたが、みんなどうせ芸能ネタでしょうということで黙っていました。僕はメディアの中に長く勤めていましたが、政治部があり、経済部、外信部、社会部、文化部があって、その下にワイドショーがあるというヒエラルキーみたいなものが厳然としてあったじゃないですか。天下国家のことを扱うのが一番偉いメディアで、ジャニーズ事務所問題みたいなことは汚くて、オレたちがさわるような問題じゃないよ、といった感じです。#MeToo（ミートゥー）の問題にしても、性加害は女性だけが被害者なわけじゃないんですが、それすらもずっと放置してきたでしょう。こういう問題が出てきた時には、それを見過ごしてきた「共犯者としての責任」があるということは、血を流してでも検証しなければいけない話ですよ。ボストンの日刊新聞であるボストン・グローブが、教会の聖職者たちが少年たちに性加害を行っていたというキャンペーン報道をはっていましたけどね。

大矢　映画『スポットライト』にもなりましたね。

金平　それってすごく大事なことなんですが、この国のメディアはなかなかやろうとはしませんね。戦争が終わって二度とああいう過ちを繰り返さない、「大本営発表」から自立したメディアになろうとやってきましたが、旧統一教会の問題も性加害の問題も、前例踏襲主義（イナーシア＝慣性）が日本社会に根付いてしまっています。そこを変えて、古い慣習や風習からメディアが抜け出すのは大変なことなんだろうと思いますね。まずは自分たちの「共犯者性」を不問に付さないことです。

大矢　私は本土のメディアに勤めたことがありませんので、東京にあるメディアの状況は体験的にはわかりませんが、沖縄で報道記者のスタートを切ったことは幸せだったと思います。この地で沖縄の不条理な歴史を体験的に学びとることができ、たくさんの戦争体験者の言葉や思いを聞き、それを背負って取材活動ができたからです。4月に入社して最初にやってくるのが4月28日、旧日米安保条約（サンフランシスコ平和条約）が発効した日であり、沖縄と奄美が本土から切り離されてアメリカの施政権下に入った日です。その後に、5月15日（沖縄の本土復帰の日）、6月23日（慰霊の日）の取材があるわけです。これらの取材を通じてたくさんの戦争体験者に出会いましたが、皆さん口を揃えて言うんです、「『軍隊は国民を守らない』ということをきちんと伝えてほしい」と。この地のジャーナリストは、戦争体験者の人たちと出会い、話を聞くことによってジャーナリストになっていくんです。私たちは市民のために報道する。それは常識であり、ジャーナリズムはそのためにあるんだと胸に刻むわけです。

ですから、二度と国にだまされない、戦争に加担しない、戦争を起こさないという立場を沖縄の報道が貫くのは、当然のことです。でも、日本全体を見てみれば、各地で戦争の甚大な被害が出ていたわけですよね。東京大空襲も、広島・長崎もそうですし、沖縄戦には北海道など各地からもたくさん兵士が来ていますから、それぞれの小さな町の戦争についてもしかりです。沖縄だけではなく、東京をはじめ全国すべての記者たちにとっても、1945年がジャーナリズムの原点だったのではないでしょうか。全国各地の記者たちがその原点からブレずに、それぞれの地で活動してきたら、今とは違う状況になったのではないかと思うんですね。1987年生まれの私が言うのはおこがましいのですが……。

金平　地域のジャーナリズムというのは大事ですね。僕らテレビでいうとキー局と地方局、新聞でいうと中央紙とローカル紙というヒエラルキーがあります。それでローカルは下なんだみたいな風潮は、アメリカ的な意味でいう地域の分権とは全く違う話ですね。さっき僕は江戸時代の幕藩体制と言いましたが、それと似ていて、基本的にはそこからあまり変わってないと思います。

大矢　ローカル局では、東京のキー局に映像素材を電送することを「上り」と言い、東京から素材が流されて来ることを「下り」と言いますね。

金平　旧国鉄の発想と同じで、東京に近づくのを「上り」、そこから遠ざかるのを「下り」と言っているんですよね。さっきの「戦前的」という意味でいうと、例えば、学徒動員がありました。次の世代を担う若い人を最前線に送って、参謀総長など戦場に行かない軍人が上の命令は絶対だといって動かす軍の発想ですが、今はそれに近くなってきたんじゃないでしょうか。

企業ではカリスマ的なトップが幅を利かせて、次の世代を搾取している。国は財源を示さないまま予算を組み、国債を発行したり増税したりして負担を次世代に押しつけている。原発だってそうですよ、福島のあんな事故があったのに原発回帰を決めてしまいました。稼働年数60年という上限を実質的になくし、「次世代型革新炉へのリプレイスメント」といった詐欺まがいの言葉を使って新しい原子炉の新増設に進もうとしている。ドイツは原発をこの4月に、全廃したじゃないですか。俺らが死んだらあとは関係ないよ、と刹那的になって、次の世代が受け取るべきものを前の世代が奪ってしまうわけです。

さらに、「戦前的」という意味でいうと、教育のあり方です。本来教育は権利であり、子どもが主人公であるはずなのに、今の教育は上から押し付け、ある価値観を刷り込み、選別する手段になっています。だから今の子どもたちは刹那的になり、今だけ、カネだけ、自分だけになりつつあるんです。最近若い人が起こしている事件を見ていても、そうした教育の影響を受けていると考えざるをえません。

大矢　逆に言うと、私は次の世代にバトンを託すという思いで、アメリカで教員になったんです。それというのも、沖縄での5年間の記者活動で、この島に刃をふるっている張本人はワシントンD.C.とか霞が関にあり、そこで決定される国策のしわ寄せが小さな島に押し付けられていると知ったからです。その「負のしわ寄せ」が人々を苦しめるという状況がずっと続いてきました。沖縄の報道現場で日々ニュースを伝えてきましたが、年々ある種の無力感を感じるようになったんですよね。こうした事実を本当に知ってほしいのは――知らなきゃならないのは――この島の人たちよりも、日本本土の人だったり、選挙のたびに自民党に投票する人だったり、アメリカ本土の市民なのではないかと思い至ったんです。

沖縄をはじめ日本には130もの米軍基地がありますが、世界地図を広げてみれば、世界中には800とも1000ともいわれるものすごい数の米軍基地があります。イラクやアフガンなど、これまでアメリカが主導してきた戦争で多くの人が殺されました。アメリカ主導の戦争を間接的かつ直接的に支えてきた日本国民には、それらの戦争で犠牲になった大勢の一般市民の死にも、加害者でありながら戦争トラウマや後遺症で苦しむアメリカ兵たちの痛みにも、責任があります。戦争の被害を受けている弱い人たちに心を寄せられない国民が選ぶ政治家によって、国策が左右されているわけです。これは日本、アメリカを問わずです。そういう人たちにアプローチしていくためには、アメリカに行って、次の世代に基地や沖縄を知ってもらうしかないと、健全なジャーナリストを育てるという道を選んだんですよ。

なので、記者から教育者の道を選択したミッションは一つで、この島の痛みを少しでも軽減してあげたい、それを市民の民主主義の力を通じて実現していきたい、そのことをアメリカの人たちに考えてもらいたいという気持ちだったんですよ。次の世代に禍根を残さないために、ジャーナリズムに希望を託していくのも、やはり私たちの仕事なんじゃないかなって思うんですね。それは、金平さんが早稲田大学などで教育者として教壇に立たれてきたのと、通じるところがあるかもしれませんが。

金平　僕が大学で教えていたのは、若い人に接してその声を聞かないまま、「近頃の若い者は」とか云々するのは嫌だからですよ。自分の若い頃には、兄とか姉ぐらいの世代の中で「30歳以上の大人は信じるな」といった言葉が流行りました。それが何かはよくわからないまま、そうした気持ちは僕もいいなと思っていました。でも今は明らかに違うでしょう。

大学のいいところは、教えていると自分も鍛えられるようなところがあって、常に自分を考えさせられるじゃないですか。それと、不正確なことや間違ったことを教えてはダメですから、反面教師で教えられることのほうが大きいし、教えるのは楽しいですよね。

大矢さんはミッションと言いましたが、アカデミズムとジャーナリズムというのはすごく共通点がありますね。筑紫哲也さんがよく言っていましたが、「記者は永遠の大学院生だよ。大学を卒業してプロになったと言っても、根っこは大学生で、好奇心がなくなったら記者なんかやってたってしょうがないんだ。好奇心が枯渇しない限りは続けてほしいけどね」と。幸いなことに僕も今年70歳になりますが、好奇心は知れば知るほど起こります。

ただ最近、日本でもアメリカでも、ジャーナリズムの機能や役割が変革期に入ってきているなと感じます。一番大きな理由はSNSです。僕は最初はSNSをバカにして、インターネットは「便所の落書き」だと、そんなものが公共圏にはなりえないと思っていて、いまだに相手の話を聞きながらメモを取ったりしています。しかし、メモなんか取らず、ＳＮＳで済ませている若者が増えていますね。ＳＮＳはコミュニケーションのあり方を画期的に変えてしまいました。瞬発力と拡散力によって「便所の落書き」とノーベル文学賞の作家が書いた文章を並列して、アクセス数の多いもののほうが価値があるんだ、というふうになってしまいました。

大矢　「いいね」の数とか、リツイートやシェアされた回数とかですね。

金平　今、ＳＮＳによってジャーナリズムの価値観が変わったということです。いい記事の基準が変わって、「ヤフトピでバズれ」が経済部の記者たちの合言葉になっているんです。それはジャーナリズムの死滅だとさえ僕は思っている人間なんですけどね。だけど、昔言っていたマイナーとメジャーの逆転が起きているんですよ。例えば「2ちゃんねる」開設者のひろゆき（西村博之）が高名な学者を論破したとしますよね。すると、「勝った勝った、やっぱりひろゆきすごいじゃん」みたいな軽薄で残酷な世界になってしまいました。これはさっきのデモクラシーとの関係でいうと、果たしてジャーナリズムのあるべき姿なんだろうかと思いますね。

アメリカにいて、ＳＮＳの普及のスピードとかはどうですか。イーロン・マスクがツイッターを買収して、ツイッター（現・Ｘ）のあり方は変わりましたか。TikTokは中国系だからダメだとかね。日本でいうと、今一番見られているのはヤフーで、それがプラットフォーマーとして一番アクセスが多いし、影響力もあります。それに、なにしろタダですから。そこの掲載記事で一番多いのが産経新聞です。そうなると、日本で一番購読者数が多いのは、朝日でも読売でもなく産経新聞だということです。産経新聞が悪いとか言っているのではありませんが、はっきりとしたキャラクターを持った新聞であることは間違いありませんから。

大矢　アメリカでいえば、ソーシャルメディアのあり方を変えたのは、トランプ元大統領だと思います。今までは、大統領が会見を開いてメディアに見解を伝えるというのが常識でしたが、彼はツイッターで国民に対して直接主張を表明するようになりました。国民の代表たる大統領の見解ですから、それまではジャーナリスト

アメリカ大統領選挙で「トランプ落選」の速報が出た途端、街中がお祭り騒ぎになり、あちこちの道路で祝福ののダンスが始まった。
（撮影：大矢英代、カリフォルニア州オークランド、2020年）

が正しい情報かどうかを精査しながら記事を書いていた。この体制をトランプは崩したわけです。つまり、自分が好き勝手に思うことを、フェイクの情報も含めてツイッターに垂れ流しにしたわけですよね。

金平　彼はツイッターでつぶやき続けることによって世界を動かそうとした、それで記者会見が無意味になったんですね。

大矢　そうです。記者会見は、無意味になりましたし、むしろ大統領が記者を吊るし上げたり笑い者にしたりする「ショー」になり下がってしまったんです。記者がこれまで記事の掲載前にやっていたファクト・チェックという役割も、後追い状態にさせて、本来の意味を失わせたわけです。

トランプ落選を祝う人たちの中には、若い人たちや家族連れの姿が目立った。
（撮影：大矢英代、カリフォルニア州オークランド、2020 年）

金平　ファクト・チェックをしてオルタナティブ・ファクト（もう一つの事実）を撃退することもできたんですが、時間がかかるので、とりあえずは「君らの事実と我々の事実は違うんだから、何か悪いわけ」みたいになってしまった。

大矢　彼が直接発信するようになって、アメリカのジャーナリストの役割が変わってしまいました。ファクト・チェックは後追いですから、すでに読者に届いてしまったフェイク情報を時間差で訂正しなければなりませんし、あまりの量のフェイク情報を一つひとつ吟味しないといけないので時間もかかります。大統領が持っている発信力の大きさを考えると、国民に対する情報伝達の大きさはかなり違ってきました。

金平　全然違いますよ。アメリカの大統領という、世界一の大権力者のつぶやきが、何のチェックも受けないまま いきなり発せられたら、世論をその通りに動かせますし、実際にそうなったじゃないですか。

だから2021年1月6日の連邦議会襲撃事件も起きたわけです。あれはツイッターでの彼のつぶやきがなかったらありえない出来事です。日本はまだツイッターで世論を操作するところまでは行っていませんが。安倍さんはかなりやっていましたが、岸田さんは苦手なようで、それで息子の翔太郎君を政策秘書にした（その後、不祥事で辞職）という話があるくらいです。ジャーナリズムのあり方についてでは、アメリカの動きは日本にも波及してくるんではないかと、感じられているのではないでしょうか。

大矢　例えば、アメリカで授業をしていて驚いたのは、近頃は電話をかけられない学生がいるということです。日本ではライン（LINE）が主流ですが、アメリカでは携帯電話キャリアメールの代わりにテキスト（SMS）でメッセージを送るのが一般的なんです。だから、見ず知らずの人に電話をかけたことはないし、親ともほとんど電話では話さないみたいですね。「最後に電話をかけたのいつ？」と学生たちに聞いたら、「おばあちゃんがかけてきた時」といった感じなんですよ。授業で、シラキュース大学のある街、シラキュース市の最新の犯罪件数について記事を書きなさいと課題を出したことがあるんです。みんなパソコンに向かってグーグル（Google）で調べるんですが、「情報はありませんでした」と言うんです。それで、「警察にちゃんと裏をとったの？」と聞くと、学生は目を丸くして「警察に電話して直接聞くということですか」と。「それがあなたの仕事でしょう」というところからスタートするしかありません。もしかしたら、日本の大学でも似たようなことが起きるかもしれませんね。

金平　テレビ局には番組のスタッフルームがあるでしょ、そこに電話がかかってきても誰も取ろうとしない傾向が広がっていると聞きます。クレームかもしれないし、自分と関係のない電話かもしれないから面倒くさいわけです。でも、電話もコミュニケーションの手段として役割を果たしているんですから、これって僕には信じられないんですけどね。

僕は日本メディア学会に入っていて、去年沖縄復帰50年の打ち上げで懇親会をやっていたんですが、一人の若い学者が、「そもそも電話をいきなりかけてくるのは暴力的だ」というんで、びっくりしました。「何言ってるんですか、電話だってコミュニケーションの手段じゃないですか、僕は仕事でそういうことをやりますよ」と言ったら、その人は結構ムキになっていましたよ。

大矢　その人はどうやってアプローチするんでしょうか？

金平　メールであらかじめ断った上で電話してきなさい、ということでしょ。恐らく電話は古くさい手段になってしまったということでしょうね。今は多くの人が直接的なコミュニケーションが苦手になっていますが、それって人間関係の円滑なあり方をかえって不自由にしているんじゃないですか。講演を頼まれる時も「場合によってはオンラインでいいです」とか言われますが、イヤなんですよ。なぜなら、黙っていても目で通じてわかることってあるじゃないですか。聴いている人の反応はとても大事で、聴いている人が突っかかってきたり、怒って途中で帰ってしまう時もありますね。例えば、大阪でやった時に、「今の連合って労働組合のあり方として問題がありませんか」と話したら、連合の幹部の方が会場にいて、質疑になってから「あなたの言ったことについては、中央に帰って報告させていただきます」と言って、出て行ってしまいました。そういうのがないと面白くないじゃないですか。それがコミュニケーションの真骨頂なんですが、きっと直接的な関わりをするのが苦手な環境になってしまったんだと思います。

大矢　そういう面でいえば、新型コロナの影響は大きいと思いますよ。私が今担当している学生は、パンデミックの中で高校を卒業し、大学生になった子たちなんです。そうすると、授業は最初からズーム（Zoom）で受けることも多かったので、同級生や先生たちとの対面のコミュニケーションは限定的でしたし、取材はズームでのオンライン取材がスタートなんです。すると、コロナが落ちついて対面での授業になっても、「取材はズームですか、対面ですか」と聞かれます。「初対面の人にいきなり話しかけるのが怖い」という学生が、クラス15人のうち4人いたんですよ。「どう話しかけていいかわからないし、変な人って思われるのもイヤです」

と。アメリカ人ってフレンドリーでオープンなイメージを持ってたので、これには驚きましたね。金平さんがおっしゃっていたコミュニケーションの危機とリンクしている気がするんですよね。

金平 コミュニケーションの変容ですね。今、コロナの話をされましたが、マスクを付けていることが3年ぐらいありましたから、お互いの顔を知らないまま卒業していった子も結構いました。会った時に相手の顔を視覚で認識しながら話せば、そこから発せられる信号ってあるでしょ。あまりにも重い現実に立ち会ったら、言葉を失ってしまうこともある。そういうのは情報として大きい価値があるんですが、それがテキストとかオンラインだとゼロになってしまい、ジャーナリズムのクオリティーとしてどうなんだよって思います。テレビや映像の場合は、沈黙を映し続けることができますが、テキストには何もないわけです。ですから、今すごい勢いで進んでいるオンライン化は、公共空間やジャーナリズムの未来に大きな影響を与えるんじゃないかという気がしてしょうがないんです。そういう意味でいうと、日本でも旧来のメディアの権威とか影響力というのは急速に減退していると思いますね。著名な人は右左を問わず自分のチャンネルを編集し、多くの人はオンラインメディアで自分の気に入ったものだけを見ています。オンラインって、人々を豊かにしているのか、それとも孤立させているのでしょうか。

コミュニケーションのありようとしては、豊かになったってことなのかな？

大矢　私は豊かになったとは思わないですね。

アメリカでは今まで、いわゆる保守といわれるような人たちはＦＯＸニュースを見る、リベラルな人たちはＣＢＳとかＰＢＳを見るとか、自分の政治思想や信じるもので、見るチャンネルが異なっていました。日本のテレビでは、みんな「中立」という建前の中で、思い切り自分の感情や信条をぶつけるようなキャスターはあまりいなかったじゃないですか。第1回目の対談でも触れましたが、アメリカでは一人ひとりがそれぞれの泡のような世界の中に住んでいて、ＦＯＸを見ている人とＣＢＳを見ている人との間ではあまり交わりがなかったんです。それぞれの視聴者は見えている世界がまるで違う。それはトランプの時に特に顕著で、その最たる例が1月6日の連邦議会襲撃事件だったと

アメリカ連邦議会襲撃事件では、これまで1,000人以上が訴追されるなど、米国史上最大規模の刑事事件となった。

（撮影：Brett Davis via Flickr、2021年）

思うんですよね。

ツイッターやTikTokといったSNS上では、自分の好みや価値観と似ているインフルエンサーやクリエーターをフォローしますよね。そこにフォロアーがどんどん集まってくる。すると、今まで見ていた既存のメディアよりも、もっと小さな泡が増えてきて、その中から出られないようになってきています。それぞれの泡が交わることがなくなってくるんですね。だから孤立化が深まっていく。自分が聞きたいことしか聞かない、自分が見たい世界しか見ない、という現実世界なら困難なことをSNSは可能にしたのではないでしょうか。

金平さんがおっしゃったように、それはコミュニケーションのありようを豊かにしているのかというと、そうではない。言論の豊かさって、自分の考えていることと違う人たちと意見をぶつけ合わせて、お互い理解できることも理解できないことも含めて、どうやってこの社会を良くしていくかを一緒に模索していくことだと思うんですよ。でも、それがあまりにも細分化すると、そういう議論の結果もなかなか生まれてきません。

人間って、おやつにマシュマロだけ食べていたら歯が悪くなりますから煎餅も食べなきゃいけないし、ハンバーグだけ食べていたら健康に良くないから野菜も食べなきゃいけない。いろんなものを取り入れないと栄養過多になってしまいます。思考も同じで、自分が信じていることだけではなく、自分と違う考えの人と交わって、自分の考えが本当に正しいのかをクリティカルに考えることが必要なんです。ソーシャル・メディアって、そういうことに対しては寄与していないのではないかと思うんですよね。

金平　今のお話は、今起きていることの本質を言い当てていると思います。泡化してもそれは結局泡だから、泡同士の中身が交わることがなくて孤立化を生んでいる。今は泡ぶくれしている状況ですから、どこかで弾けるんじゃないですか。そこから、直接的な繋がりとか、違う意見の人たちの論争もあって、本当はどうなんだということが生まれていくようなきっかけになるかといえば、わかりませんね。それでジャーナリズムやアカデミズムでいう言論の自由、表現の自由の豊かさを守れるのかというと、ちょっと違うんじゃないかという気持ちが強くなっています。大矢さんもアメリカでそういうことを感じているんですね。

◆私たちがこの本で伝えたいこと

大矢　ジャーナリストの仕事って、取り上げるべき問題が広がり、やりきれなかった取材ファイルがどんどん机の上に溜まっていきますよね。

金平　一人でやれることは限られているけど、そういう流れに警鐘を鳴らすというのはすごく大事です。僕らは、さっき名前を挙げたような先輩たちの影響を受けながらやってきているわけです。僕はもうすぐくたばるでしょうが、大矢さんのような人にこの仕事を繋いでいっていただかないと困るんですよね。僕らは、マスメディアが実質的にない社会を知っていますから。今NORTH KOREA（北朝鮮）だって、首領様の言葉が必ずトップニュースになるわけですから、メディアであってメディアじゃないんです。中国のCCTV（中国中央電視台）だって、「習近平主席は」というところから始まるんですから。

大矢　「日本政府は」と始まる日本のメディアも、あまり変わらない感じもしますけれども。

金平　日本のテレビも興味本位でやっていますが、人間の欲望というのはそんなに綺麗なものじゃなく、多種多様で下品なところもありますから、そういうものにも興味を持つというのも自然なことだと思います。ただ、戦争とか人の命に関わるような話が二の次になって、いつまで経っても大谷翔平選手ばかりやっているのは変だよなと思いますよね。

大矢　大谷翔平さんの活躍はたしかに素晴らしいのですが、メディアの取り上げ方を見ていると、なんだか日本人が日本という国を誇るためのツールとして取り上げられている感じがします。十数年ぐらい前からそういう番組が一気に増えていませんか。日本人のここがすごいとか、世界が誇る日本のなんとかとか。

金平　「日本はすごいぞ」キャンペーンに使われているわけですが、大谷はすごいけど、必ずしも日本がすごいんじゃないです。だけど大谷イコール日本にしてしまっています。日本はすごいぞ、みたいな番組が流行るのは、国民が自信をなくしているからじゃないですか。しかし、外から見ていると、日本ってなかなかいい国ですよ。安全だし、治安もいいし、みんな勤勉だしね。だけどなぜ日本はこんな国になってしまったんでしょうね。例えば、スウェーデンとかデンマークなどは、世界の国力からいうと決して大きくはないけど、いい国ですよ。そこに暮らしている人は、助け合いながら生活し、武力ではなく自分たちの国を守っていこうとしていますね。もっとも、フィンランドやスウェーデンまでが、ＮＡＴＯに加盟するという流れができてしまいましたが。全く残念な推移ですね。

大矢　私がカリフォルニア大学バークレー校にいた時の指導教官で、ローウェル・バーグマンという人がいます。映画『インサイダー』のモデルになったCBSテレビの看板番組『60Minutes』の元プロデューサーです。ローウェルとは、日常的に電話やメールで話をするんですが、彼が去年の末ぐらいからこんなことを言い始めたたんです。「アメリカの言論の分断は、これからもどんどん激化していくだろう。アメリカがまた南北戦争のようなcivil war（内戦）の状態になってしまわないか心配だ」と。彼が危機感を覚えながら言っていることを、私はずっと考えているんです。

金平　日本って、内戦が起きることはないのかしらね。今、ロシアとウクライナで起きている旧ソ連邦内での憎しみ合いや戦争もとても嫌な話で、少し前まで同じ国だったところが殺し合っていて、誰もその仲介にも入れないような状況になっています。価値観が違う者同士が交わらないまま、分断がどんどん広がっているというのは、歴史の繰り返しだと言えばその通りですが。だけどアカデミズムとかジャーナリズムは、そういうものをいかにして普遍的な価値によって乗り越えていくかを目指してきたはずです。

メディアが宣伝屋になるのは簡単ですよ、そのほうがお金が儲かるし、楽な生活もできるでしょうから。政党でいうと万年与党のような感じで、強い主流派に寄り添って何が悪いんだ、みたいな生き方をする人は多いですよね。アカデミズムだってそうで、国から研究予算が付くような生き方がいいんだ、万年野党をやっていたって、所詮は負け犬の遠吠えであり、勝った犬の雄叫びのほうがいいに決まっていると、そういうことを言う人もいますよね。でも、本当にジャーナリズムとかアカデミズムが、常に強いもの大きいもの、あるいは多数派が勝つような世の中でいいのかなって気持ちが、ずっと疑問としてあるんです。

自分はジャーナリスト46年、テレビの報道ばかりやってきましたが、そこで目標にしてきたのは、それとは真逆のものでした。だからさっき言ったように、エルズバーグさんとか西山太吉さん、筑紫哲也さんみたいな、そうではない生き方をしてきた先輩を目標にしてきたんです。これからもそういう生き方をしようと思っているというのが正直なところですけど、でも時代はそうなっていませんね。

大矢　金平さんのお話を聞いていて思ったのは、じゃあ今の私たちに何が必要なのか、つまり、この本を通じて私たちは読者に何を伝えなければいけないのか、という点なんです。この本を読んでくださっている方々って、金平さんのことを応援しているし、金平さんのお話を聞いてみたいっていう気持ちから、この本を手に取ってくれたと思うんです。自分が今すぐ行動に出なきゃいけないという気持ちよりも。

金平　親子ほど年が違う人が何を言うんだと言われるかもしれませんが。僕らの言っていることは明らかに、今言った意味では多数派の声じゃありませんから。

大矢　私は映画『沖縄スパイ戦史』の舞台挨拶とか、いろんな講演会に呼んでいただいた時に、「大矢さんは若いのに頑張ってるね」とか、「若いのに戦争のこと、沖縄のことを考えていて偉いね」という声をたくさんいただいたんですよね。それはすごくうれしいし、ありがたいんですが、一方で私が若いからこういうことをやるのは偉いと自負するのは間違っているとも思います。私自身そう思ったことは一度もありません。誰でもやらなきゃいけないことだし、歳とかは関係ないんです。千葉県出身の大矢が、沖縄のことをやっていて偉いとかいう話ではなくて、日本国民全員が出身とかに関係なく、沖縄のことや日本、世界のことを考えなければいけないんじゃないか、と。

その上で、私はこの本を読んでくださる方に何を考えてほしいのかというと、個としての主体性なんです。この本を読んで、大矢と金平さんの二人がこういうことを考え、話し合っていて偉いねじゃなくて、私たちと一緒に考えてほしいということです。読んでくれた人たちが、本を閉じてからがスタートであり、そこから何ができるかを主体的に考えてほしいんです。

2回にわたって対談をさせていただいて、沖縄の基地や戦争のこと、アメリカのジャーナリズムのこと、日本の政治や社会のこと、日本がどれだけ戦争に近づいてきているかということなどを話してきましたが、「日本は大変になっているね」で済まさずに、「じゃあ私には今から何ができるんだろう」って本気で考えてほしいんです。

金平　僕がいつも講演のシメに言う言葉を全部、大矢さんが言われたと思います。いつも言っているのは、天下国家や国際情勢のことをまことしやかに言うやつを信じない、見てきたような嘘を言うなという方もいますが、自分の身近なことが実は政治だと思っているんですよ。例えば、僕はマンションに住んでいますが、共同のゴミ出し場でルールを守らない人がいるとしますよね。そこに例えば、自治会が見張りを立てることを決めて、中のゴミを点検するようなことをやってしまうとしたら、それっておかしな話じゃないですか。自警団じゃあるまいし、「それは変じゃないですか」と言うのが大事なんです。そういうことが実は「政治」なんで、その身近なことができない人が、天下国家や国際情勢を論じるんなら、足元のことができない人が何でそんなことを言えるんだと言うべきなんです。

選挙以外で自分たちの意思をきちんと実現するということに僕ら日本人って慣れていないから、本当の意味でソーシャライズされないんですよ。僕らは不器用であり、不器用は悪いことじゃないから、できることからやっていくしかないんですが、その当たり前のちっちゃいことのほうが難しいんですよ。例えば、職場で隣に座っている人に今日二人がしたような話をすぐできるかというと、なかなかできないですよね。講演に来て拍手してくれた人も、帰って職場で横に座っている人にそういう話をしましょうよと言うと、いやな顔をされる人もいます。だけど、それをしないと変わらないし、そのほうが実は重たいんです。僕はそれが「政治」だと思っていて、それができるようになったら、誰に何と言われようが、自分の入れたい人に入れようと思って投票に行くでしょう。そこまで至っていないから、難しいんですけどね。

だから大矢さんがおっしゃったみたいに、この対談本を読んで、閉じた瞬間からどう動くのかっていうことが問われるんでしょうね。参考書扱いでもいいし、反発して「この野郎」と思ってもいいんですが、少なくとも自分ごとになって、そのための助けになれば、それでこの本の目的が達成されたことになりそうですね。

大矢　この本を買っていただいた方には、最低二人に、この本を通じて感じたことを話してもらうというオマケをつけましょうか。一人じゃなくて、最低二人というのがポイントです。まあだいたいこんな感じですが、いかがでしょうか。

あとがき

〈金平茂紀〉

大矢さんは、まっすぐな人だ。思ったことをやり遂げる意志が強い。そういう人は少なくなった。みんな周りを気にしながら生きている。日本が島国で閉鎖社会だからとか、わかったようなご託宣をへらへらと言い立てるニセ社会学者たちが跋扈《ばっこ》するなかで、大矢さんは、大昔の東大キャンパスの落書きにあったように〈連帯を求めて孤立を恐れず〉、かつては沖縄をベースに、そして今はアメリカをベースに、着実に仕事を続けている。

大矢さんがかつて在籍した沖縄の地元放送局QAB（琉球朝日放送）は、1995年に放送を開始した最後発局だ。県の経済規模からみて、これ以上のテレビ局は要らないと言われるなか、民間放送としては、琉球放送（TBS系列）、沖縄テレビ（フジテレビ系列）に続く民放第3局として出発した。大矢さんはその局に2012年に入局した。その当時のQAB先輩に三上智恵さんがいた。三上さんも大矢さんと奇しくも同じ千葉県生まれのヤマトゥンチューだ。三上さんは大阪の毎日放送を退社して沖縄に移住し、開局と同時にQABに加わった。沖縄の企業でヤマトゥンチューが働くことの現実を、おそらく大矢さんも三上さんも二人ともイヤというほど心に刻み受け止めていたのではないか。そのように僕は勝手に想像している。

実はＱＡＢ開局の前には大混乱が起きていた。ＱＡＢで働ける即戦力の人材をどう確保するのかをお偉方たちはほとんど考えていなかったのだ。放送局の仕事はそれなりに専門的な知識やスキルがなければ、すぐに仕事を始められるものではない。そこで、起きたことは、沖縄県の最も古い放送局である琉球放送（ＲＢＣ）から、相当数の人員を出向させて、ＱＡＢの社員にしてしまうというかなりの荒療治だった。さらには、放送局の送出機能を琉球放送と同じ建物で同居してやってしまうというものだった。当時は放送のために電波を送受信するためのタワー（鉄塔）が必要だった時代だ。そのタワーを共有したのである。

人事上の大混乱が起きた。昨日まで同じ部屋で仕事をしていた仲間が今日からは別の会社に所属して別のフロアーに移ることになり、系列キー局が異なるので、形の上では競争相手になるのだった。ＱＡＢとＲＢＣはまるで家族のように同じ建物に同居する。建物の出入り口も同じ、使うエレベーターも同じ。今では笑い話のように語られることが多いが、当事者たちの間では相当に深刻な混乱が生じていた。現に僕はそういう現場を何度も目撃した。「出向組」と「残留組」との間に軋轢のようなものが生まれた。一般的にそういう場合は、後を追う者のほうが強い。ＱＡＢは徐々に、そしてめきめきと頭角を現した。

今でも僕が鮮烈に覚えているのは、１９９５年の米兵による少女暴行事件をトップニュースで長時間報じた「ニュースステーション」の報道と、２００４年8月、沖縄国際大学に米軍普天間基地所属の輸送ヘリコプターが墜落炎上した事故の際のＱＡＢの果敢な取材姿勢である。米軍当局は事故発生直後から、大学構内を立ち入り禁止にし、日本の警察、消防、県や市の行政責任者、記者やカメラマンといった報道関係者、そして何と被害を受けた当事者である沖縄国際大学の学長や職員の立ち入りまで禁じて排除した。この時、実は構内に入り込んで唯一取材をしていたのがＱＡＢだった。紙幅の関係でこれ以上の詳細は記さないが、ＱＡＢは沖縄の民放局として確固とした地位を確立していった。

＊　＊　＊

大矢さんとの2回にわたる対話をした「この時代」について、読者の皆さんはどのような認識をお持ちだろうか。

２０２２年という年は、僕は時代の転換点だと思っている。特に日本において。この年を節目に、日本は「戦後」から「新しい戦前」に切りかわった。あまりに図式的な整理でしかないと思われるかもしれないが、歴史を振り返れば、ああ、あの時のあの出来事以降、時代の空気が変わってしまったという出来事というものがある。例えば、１９３８年11月9日と10日にドイツで起きた「クリスタル・ナハト」（ドイツ語で「水晶の夜」の意）。この暴動によって破壊されたシナゴーグやユダヤ系住民の家屋のガラスが、月明かりに照らされて水晶のようにきらきらと光っていたことから、このような命名がなされた。ナチス党員の突撃隊やユダヤ・ヘイトに同調したドイツ人住民らによって引き起こされた、このユダヤ人を標的とした大規模暴動によって、時代の空気が一変した。

２０２２年2月24日に、ロシアがウクライナに侵略戦争を仕かけた。その戦争は今に至るまで継続しており、停戦や休戦を呼びかける声は、徹底抗戦を続けよという声に押しつぶされている。「正義の戦争」は勝たねばならないのだ。

そして7月8日に、日本の奈良県で選挙応援演説中の安倍晋三元首相が銃撃・殺害された。戦後、日本で首相及び首相経験者が第三者によって殺害されたのはこれが初めてのことだ。殺害を実行したのは、山上徹也被告だ。彼の家庭は、母親が旧統一教会に入信し、家庭の財産を教会にほとんどすべて寄進したことから、家庭が破壊された男性だった。旧統一教会の宣伝に臆面もなく出ていた安倍氏に、その憎悪の矛先が向いた現実を冷徹に直視することが本来は求められていたはずだった。それが、ウクライナ戦争と安倍氏殺害事件を、文字通り「奇貨として」（絶好のチャンスとして）この国は動き出した。

そのことが、僕も大矢さんも一致している認識だが、日本を「戦争のできる国」につくりかえようと、現在の政権は、火事場泥棒的に、あらゆる政治的な力を動員している。本来、ジャーナリズムをつかさどるマスメディアの役割は、そうした動きを冷徹に、かつ思慮をもって取材し、それを市民に提供するはずだった。それがそうなっていない。

「新しい戦前」というキーワードを軸に、在米の大矢さんと、東京ベースの金平が対話する意味の何がしかを読者の皆さんと共有できれば、それでよい。あとは、皆さんがこれからをどう生きていくか、ご自身に問うことだと思っている。

＊　＊　＊

ちなみに大矢さんは、三線を実に上手に奏でて沖縄民謡も歌う。一番好きな歌は八重山古典民謡の「小浜節」(クモマブシ)だそうだ。いつかまた、僕にとっては娘みたいな世代(年齢差34年)の大矢さんの三線と歌を聴いた後に、一緒に語り合いたいものだと思っている。ただし、その時の日本が、沖縄が、置かれている環境が「戦時下」にないことを祈るばかりだ。それぐらい戦争という言葉が日常化してきたなかで、僕らは共に、沖縄という土地と、アメリカという国と、さまざまな意味で関わらざるを得なくなった「僥倖《ぎょうこう》」に落とし前をつけなければならないと、秘かに思っている。

本書誕生のきっかけは、かもがわ出版の三井隆典さんから、今こそ日米をベースとした二人のジャーナリストの対話にふさわしい時期ではないか、と勧められたことだった。三井さんには多大な尽力をいただいたことに感謝申し上げたい。また大矢さんは、アメリカにおけるご自身の環境が激変のさなかにあって、時差とたたかいながら、貴重な時間を割いていただいたことに感謝申し上げたい。また日本か沖縄か、あるいはアメリカでお会いできますように。

（2023年9月1日、関東大震災から100年の日に）

著者プロフィール

金平茂紀（かねひら・しげのり）

ジャーナリスト、テレビ報道記者、沖縄国際大学非常勤講師。1953年北海道生まれ。1977年、東京大学卒業後、TBSに入社し、以降一貫して報道現場を歩む。モスクワ支局長、ワシントン支局長、「筑紫哲也NEWS23」編集長、報道局長などを歴任。2010年から2022年まで「報道特集」レギュラー・キャスター。2004年度ボーン・上田記念国際記者賞、2022年外国特派員協会（FCCJ）報道の自由賞などを受賞。主な著書に『二十三時的』（スイッチパブリッシング）、『テレビニュースは終わらない』（集英社新書）、『筑紫哲也NEWS23とその時代』（講談社）、『ロシアより愛をこめて　あれから30年の絶望と希望』（集英社文庫）など多数。

大矢英代（おおや・はなよ）

ジャーナリスト、ドキュメンタリー映画監督、カリフォルニア州立大学フレズノ校アシスタント・プロフェッサー。1987年千葉県出身。琉球朝日放送(QAB)記者を経て、2018年フルブライト奨学金で渡米。2022年シラキュース大学アシスタント・プロフェッサー、2023年より現職。代表作にドキュメンタリー映画『沖縄スパイ戦史』（三上智恵との共同監督／文化庁映画賞優秀賞、第92回キネマ旬報ベストテン文化部門1位など）、『テロリストは僕だった〜沖縄・基地建設反対に立ち上がった元米兵たち』（テレビ朝日プログレス賞最優秀賞など）。著書『沖縄「戦争マラリア」—強制疎開死3600人の真相に迫る』（あけび書房）で山本美香記念国際ジャーナリスト賞奨励賞。明治学院大学、早稲田大学大学院政治学研究科ジャーナリズムコース修了。ノースダコタ大学院博士課程在籍中。

著　者
金平 茂紀（かねひら・しげのり）
　ジャーナリスト、テレビ報道記者
　沖縄国際大学非常勤講師
大矢 英代（おおや・はなよ）
　ジャーナリスト、ドキュメンタリー映画監督、
　カリフォルニア州立大学フレズノ校アシスタント・
　プロフェッサー
装　丁
加門 啓子（かもん・けいこ）

「新しい戦前」のなかでどう正気を保つか

2023年11月1日　第一刷発行
2024年3月 13日　第二刷発行

発行者　　竹村 正治
発行所　　株式会社かもがわ出版
　　　　　〒602-8119　京都市上京区堀川通出水西入
　　　　　TEL075-432-2868　FAX075-432-2869
　　　　　振替 01010-5-12436
　　　　　ホームページ http://www.kamogawa.co.jp
印　刷　　シナノ書籍印刷株式会社

ISBN978-4-7803-1300-0　C0036